LE CHAT
DERRIÈRE LA VITRE

DU MÊME AUTEUR

Beauchabrol, Jean-Claude Lattès, 1981 ; Lucien Souny, 1991.
Barbe d'or, Jean-Claude Lattès, 1983 ; Lucien Souny, 1992.
L'Angélus de minuit, Robert Laffont, 1989.
Le Roi en son moulin, Robert Laffont, 1990.
La Nuit des hulottes, Robert Laffont, 1991,
   Prix RTL Grand Public, 1992.
Le Porteur de destins, Seghers,
   Prix des Maisons de la presse, 1992.
Les Chasseurs de papillon, Robert Laffont, 1993,
   Prix Charles-Exbrayat, 1993.

© L'Archipel, 1994.
© De Borée pour la présente édition
53, rue Fernand-Forest – Z.A. de l'Artière – 63540 Romagnat
Achevé d'imprimer en France en mai 2006
Dépôt légal : mai 2006
ISBN : 2-84494-388-8

Gilbert Bordes

Le Chat
derrière la vitre

De Borée

Terre de poche

I

À propos de bêtes et d'hommes

Je pense à ce livre depuis des années.

Mon enfance s'est passée dans les collines corréziennes au milieu d'une nature qui n'était pas encore totalement abîmée par l'homme. La caille courait devant la moissonneuse, les perdrix volaient au-dessus des blés. Le renard filait le long de la haie ; à l'automne, les sangliers descendaient de la « montagne » pour manger les châtaignes... Enfant sauvage qui préférait les sentiers secrets de la forêt aux bancs de l'école, je passais des heures à regarder vivre un écureuil, à suivre la nage élégante d'une truite aux flancs de bronze, à surprendre la loutre au bord de son gîte. Les animaux ont été mes compagnons de solitude et le sont encore.

Un braconnier m'apprit le regard du prédateur, le seul vrai, démuni d'émotion, efficace. Et je compris combien nous sommes loin de la réalité animale. Un abîme nous sépare, au-dessus duquel sont tendus les milliers de fils qui nous réunissent.

Nous prêtons trop souvent aux animaux des comportements analogues aux nôtres. Cet anthropomorphisme nous coupe de la réalité et nous fait commettre pas mal de bêtises. Dire qu'un couple de perdrix est un exemple de fidélité parce qu'il dure jusqu'à la mort du mâle ou de la femelle est une absurdité. Aucun oiseau au monde ne sait ce qu'est la fidélité. La perdrix est « programmée » pour vivre ainsi ; c'est une nécessité de l'espèce et non de l'individu. Les sentiments n'existent que chez les hommes et sont, en grande partie, un produit de leur culture. Que voyait un homme du Moyen Âge lorsqu'il ouvrait les yeux sur le monde ? Nous n'en savons rien, malgré les écrits. Les mots n'avaient pas le même sens. La mort, la vie, la douleur et le plaisir de ce temps sont perdus.

Que signifie le verbe « aimer » pour un chien, le plus proche compagnon de l'homme ? C'est un attachement instinctif à ceux qui composent sa « meute », à son maître qui en est le chef. Animal social, il a remplacé les autres chiens par des hommes. Les spécialistes savent bien que, lorsque plusieurs animaux sont ensemble, l'effet de meute peut se produire si le dresseur ne réussit pas à s'imposer, ils échappent alors à tout contrôle.

À propos de bêtes et d'hommes

Bien sûr, une hiérarchie existe, et l'édifice vivant, du plus sommaire des vertébrés au plus évolué, n'est pas uniforme, mais tous sont inféodés à leur instinct. Ce fameux « moi » caractéristique de l'homme, cette conscience d'être, n'existe pas chez les animaux, et c'est ce qui fait toute la différence. L'homme se sait vivant et mortel. Sa conscience d'être a balayé tout le reste. Il se sait seul dans l'univers. Et si l'homme du passé s'était fabriqué des garde-fous, celui du XXIe siècle est le fils d'un dieu qu'il a assassiné.

Dans ce livre, j'ai voulu avoir tour à tour le regard de l'animal et celui de l'homme, l'instinct de l'un, la réflexion et les sentiments de l'autre. J'ai voulu être chasseur et chassé, loup et agneau.

Les fabulistes de tous les temps se sont servis des bêtes pour nous parler des hommes. Ils n'ont pas si mal réussi, mais c'est humiliant pour les animaux qui, même s'ils ne parlent pas, ont pas mal de choses à nous apprendre. J'ai donc voulu rétablir la vérité, écrire de nouvelles fables dans lesquelles tous les acteurs sont présents, les hommes dans le domaine de l'imaginaire, des sentiments, les bêtes dans leur lutte pour la survie avec, de temps à autre, cet attachement hors nature d'un homme et d'un animal.

Ne cherchez pas une morale à chacune de ces histoires : la nature n'a aucune notion du bien et du mal. Le chat joue avec la souris ou le petit oiseau, mais n'est pas cruel pour autant. J'ai voulu rendre hommage à la vie dans toute sa diversité, avec la seule idée que nous sommes embarqués sur une planète folle et merveilleuse, et que, s'il fallait la recréer pour la rendre plus vivable, nous n'aurions probablement pas un brin d'herbe à changer – mais pour cela faudrait-il que les hommes en aient envie. Malgré et peut-être à cause de ses contraintes, chaque vie animale est un roman, chaque vie humaine une montagne qui plonge dans la mer. Rien n'est banal, pas plus les propos insensés de l'ivrogne embarqué pour une lointaine et inaccessible Patagonie, que le rêve d'une petite fille abandonnée. Les premiers mots qui sortent du bec d'un geai ou la terrible peur du renard prisonnier dans un terrier apportent leur pierre – même si on ne sait pas la reconnaître – à l'édifice vivant parti depuis longtemps vers une des-tination inconnue de nous et qu'il n'atteindra proba-blement jamais.

II

Le chat derrière la vitre

BUNIT OUVRE LES YEUX ET BÂILLE. Marie-Laure aperçoit l'intérieur de sa bouche rose saumon, ses crocs de porcelaine, sa langue râpeuse qu'il replie d'une manière comique. L'animal allonge les pattes, sort ses griffes et se lève. Il secoue la tête et fait quelques pas souples, élégants et souverains. Il est chat, donc libre. Il n'accepte des autres que ce qu'il veut. Son domaine, c'est le jardin, la rue, le terrain du voisin. Aucune barrière, aucune clôture ne le retiennent. Les portes fermées lui arrachent des miaulements désespérés.

Des êtres humains qui habitent sa maison, Marie-Laure a sa préférence. C'est une petite fille maigrichonne aux boucles brunes, au regard profond, souvent triste. Elle serre Bunit dans ses bras, l'écrase contre ses joues. Le chat se laisse faire jusqu'à ce que les caresses l'agacent ; alors, il coule vers le sol et les

11

petites mains qui tentent de le retenir n'y peuvent rien. Personne ne retient Bunit.

Il a passé tout l'après-midi sur le vieux canapé qui sert de lit à Marie-Laure dans ce réduit sans fenêtre, avec un seul petit soupirail qui grince en s'ouvrant : la fillette dort là depuis que Mme Lorris a donné sa chambre aux jumeaux… L'heure de la promenade est arrivée. Le soir tombe lentement ; sur les toits, les fumées bleues des cheminées s'étalent en un nuage immobile. Le vent se tait, les feuilles mortes tournoient dans la lumière jaune, s'entassent en édredons dorés, chauds, comme du pain à la sortie du four… Marie-Laure appelle Bunit, mais le chat ne se retourne pas. Un oiseau vient de se poser dans l'herbe. Bunit s'est tassé sur le sol, immobile, pierre noire dont rien ne frémit, pas même un poil. Il est capable d'attendre ainsi des heures que l'oiseau en confiance approche à portée de ses griffes. Des heures de patience inscrites dans ses gènes de chasseur. Et l'oiseau ou la souris n'ont aucune chance d'échapper à son attaque. Quand les griffes se referment sur la victime, une longue agonie commence. Pourtant, Bunit n'est pas cruel. Jouer avec sa proie encore vivante, la laisser partir, la reprendre, la blesser en prenant soin de ne pas la tuer est un comportement nécessaire, que lui dicte son instinct : Bunit s'entraîne comme s'entraîne un sportif pour améliorer ses performances ; il refait des centaines de fois des gestes de chasse dont l'efficacité dépend de la perfection. Les hommes racontent bien des bêtises sur lui. Lorsque Bunit se fait les griffes sur le canapé, ils croient parfois que c'est pour laisser son odeur, mêlée à celle des maîtres, pour marquer son territoire de chat. Pas du tout ! Bunit doit simplement garder ses griffes bien aiguisées, des armes de chasse en bon état.

Après chaque coup de bec au fruit qu'il picore, le merle lève la tête, regarde autour de lui. Des millions d'années d'expérience ont appris à son espèce que la moindre inattention, le moindre moment de relâchement ou de gourmandise se paie au prix fort. Toujours immobile, Bunit fixe cette boule de plumes inquiète. Il ne chasse pas par faim. Il chasse parce qu'il est fait pour ça. La nature lui a donné une souplesse sans égale, une démarche silencieuse, des yeux qui voient dans la pénombre, des griffes d'une formidable efficacité. Aucun autre animal n'atteint sa perfection. Le Créateur peut être fier de son chef-d'œuvre qui, lui, ne se soucie pas du Créateur. Tassé dans les herbes, il guette un merle.

« Bunit, allons, viens ! »

Une porte claque. Marie-Laure fait irruption dans le jardin. L'oiseau s'envole. Bunit se laisse attraper par la petite fille qui le serre contre elle.

« Mon Bunit, mon petit chat adoré…

– Marie-Laure, ici ! »

Cet ordre cinglant, c'est Mme Lorris qui vient de le crier. Marie-Laure n'a jamais voulu l'appeler maman et les jumeaux ne sont pas ses frères. Ils sont Jacques et Pierre, les enfants de Mme Lorris. Sa mère, à Marie-Laure, est une princesse. Son père n'est pas cet ouvrier à la démarche hésitante, il est roi et chevauche un beau cheval blanc. Avant l'arrivée de Mme Lorris, Marie-Laure aussi avait un superbe alezan qui courait plus vite que le vent et l'emportait très loin, au-delà de la forêt et des montagnes, au pays de Blanche-Neige. Elle vivait dans un château, de l'autre côté des nuages, là où les mauvais esprits ne vont jamais. Un jour, tout a basculé. La princesse ne s'est pas levée pour aller travailler dans son usine. Une voiture blanche avec une lumière bleue est venue la chercher. Marie-Laure se souvient de l'hôpital où l'on soignait sa mère. Elle se souvient aussi du corbillard sur la route du cimetière et des épaules basses de son père qui marchait derrière. Un peu plus tard, Mme Lorris arriva à la maison. Son père lui dit que c'était sa nouvelle maman, mais Marie-Laure ne le crut pas.

« Petite chipie ! Tu passes ton temps à jouer dans le jardin alors qu'il y a tant à faire ! Va donc écarter le linge sur le fil… Tes frères vont arriver et ils auront faim. »

Une gifle cingle, soulève les boucles brunes. Marie-Laure ne baisse pas les yeux. Elle ne pleure plus depuis longtemps et cette manière silencieuse de protester exaspère Mme Lorris :

« C'est qu'elle tient tête, cette saleté. Et dure avec ça ! La pension et de la discipline, voilà ce qu'il lui faut ! »

Mme Lorris est arrivée l'année dernière avec ses deux garçons. Elle a pris toute la place. La maison est devenue « sa » maison et celle des jumeaux. Marie-Laure a dû céder « sa » chambre. Son père travaille toujours à l'usine, mais quand il rentre, le soir, il est bien trop fatigué pour s'occuper d'elle. Le prince déchu se contente de marmonner et de boire. Mme Lorris fait tant de bruit qu'elle n'entend pas les autres. Sa voix emplit la maison ; tout le monde obéit. Même le prince, dont elle a vendu le cheval.

Dès son arrivée, Mme Lorris a dit ne pas aimer les meubles qui venaient du château, derrière les nuages, à commencer par ceux de la chambre de Marie-Laure, son lit, son armoire, qui étaient des cadeaux de Blanche-Neige. Mme Lorris les a vendus et en a acheté d'autres, des meubles modernes, comme ceux qu'on voit chez les marchands. Le prince s'est laissé dépouiller de ses souvenirs sans protester. Il se réfugie, chaque jour un peu plus, près de son verre.

« Marie-Laure, et les chaussures ? Tu crois que je vais les cirer ? Ah, pour jouer et rêver… »

La lourde main s'abat encore sur la petite fille. Au début, Marie-Laure tentait de s'échapper. Désormais, elle reçoit sans un mot, sans un cri, sans une larme. Exaspérée par cette apparente insensibilité, la femme frappe plus fort, d'abord avec les poings, puis avec les pieds. Le corps de la petite fille garde souvent plusieurs jours les marques de ces colères, mais elle les cache. Ses camarades ne doivent pas savoir qu'elle n'est pas une enfant comme les autres, qu'elle est amputée de cet amour dont elle a tant besoin. Et puis, elle a honte, Marie-Laure, honte d'exister.

Les jumeaux ont tous les droits. Ils entrent avec leurs chaussures sales et Marie-Laure est battue à leur place. Quand ils jouent avec elle, c'est pour la torturer. Un soir d'orage, ils l'ont attachée au sapin, derrière la maison, et Marie-Laure, trempée, mais surtout terrorisée, a vu la foudre s'abattre sur le clocher du village. Elle a été battue pour être restée sous la pluie et avoir abîmé ses vêtements.

Dans le réduit où elle dort, Marie-Laure regarde les étoiles à travers le soupirail. Souvent, un ange descend la voir. Il s'annonce par deux lunes d'or qui s'allument derrière la vitre. Marie-Laure tourne lentement la poignée pour ne pas éveiller l'attention de Mme Lorris, pousse le soupirail avec mille précautions, et l'ange entre en ronronnant. Il se blottit contre la petite fille, lèche sa main de sa langue râpeuse. Marie-Laure est alors si heureuse qu'elle oublie les coups de Mme Lorris. Elle rejoint sa maman dans le château derrière les nuages, dans ce pays où les hommes sont bons. Là, le prince n'est pas un ivrogne qui tangue chaque soir et fait le dos rond quand Mme Lorris le rabroue. Il y a de la lumière, tellement de lumière que le cœur de chacun en est ébloui.

Un matin, des gens viennent chez Mme Lorris. Les gendarmes, une assistante sociale et un vieux monsieur à la fine moustache blanche. Ils examinent la petite fille, qui ne veut pas se mettre nue. Ils disent qu'il faut placer Marie-Laure ailleurs. L'enfant se débat : elle veut rester ici, avec Bunit, l'ange noir, et le château derrière les nuages. Les grandes personnes ne prêtent aucune attention à ses protestations d'enfant. Les grandes personnes ont des lois et les appliquent…

Quand elle monte dans la voiture de l'assistante sociale, Bunit n'est pas là : un chat ne change pas ses habitudes pour si peu. Il est dans le bois en train de guetter une musaraigne. La nuit venue, il s'approche du soupirail, et comme personne ne l'ouvre, il se met à miauler. Une porte tonne. Mme Lorris, en chemise de nuit, les cheveux défaits qui tombent en mèches grasses sur ses épaules d'homme, fait irruption. Le soupirail s'ouvre si brutalement qu'il ne grince pas.

« Saleté de chat qui nous empêche de dormir ! »

Bunit saute sur le canapé froid, mais la main de Mme Lorris le fauche et le projette violemment contre le mur. Il s'enfuit sur le toit. La ville dort autour de lui. Souverain dans l'ombre, il se dirige sans difficulté. Un oiseau de nuit l'effleure. Bunit fait un écart : il sait que les grands ducs peuvent l'attaquer. Il descend au sol par la treille, erre un moment dans le jardin. Bunit n'a pas un cerveau d'homme capable de donner un nom aux choses, et il voit, pour l'instant, le canapé vide. Il sent surtout sur son pelage soyeux le tissu froid : la petite fille est partie ! Mais où ?

Le chat fait le tour de la maison en cherchant des odeurs au sol qui pourraient le renseigner. Il trouve les pas de Mme Lorris, ceux des jumeaux, ceux du père, d'autres pas inconnus et, enfin, ceux de Marie-Laure. Il les suit, arrive à un endroit où la piste s'arrête. Une autre prend le relais, impersonnelle, forte… Bunit tend le nez au vent quand un

18

bruit minuscule l'alerte. Il se colle au sol. Une souris vient de passer près de lui. Le chasseur se réveille et oublie le visage de Marie-Laure. La souris ne l'a pas repéré. C'est probablement un jeune animal sans expérience des dangers de la nuit. L'attaque de Bunit est foudroyante. La souris pousse des cris pointus quand les griffes acérées se plantent dans sa chair.

On conduit Marie-Laure dans des bureaux où elle voit d'autres personnes, des visages sur lesquels ses yeux ne s'arrêtent pas, puis l'éducatrice qui lui dit de l'appeler Jany. C'est promis, elles seront bonnes copines et Marie-Laure pourra venir la voir chaque fois qu'elle en aura envie. Jany, une femme blonde et maigre aux gestes toujours trop grands, ne se formalise pas du silence de la fillette. Elle sait que les enfants battus sont ainsi, qu'il faut les apprivoiser comme des bêtes sauvages, leur redonner le sens des vraies relations, celles du dialogue et de l'amour. Un long travail de mise en confiance.

Ensuite, Marie-Laure est emmenée dans un foyer où se trouvent d'autres « cas sociaux », enfants battus, orphelins, oubliés des grandes personnes. Des déchets de l'amour. Rescapés d'un lamentable naufrage, ils sont là, tous ensemble, solitaires sur leur île

déserte. Ils jouent, ils mangent, ils dorment par grou-
pes, mais à part les mots du quotidien, ils ne se parlent pas, gardent en eux leur terrible secret auquel
Jany n'a pas accès. Leurs regards d'enfants perdus
ont cette étincelle vivante qui grandit avec l'émotion
née d'un papillon posé sur le rebord de la fenêtre ;
leur bouche qui s'arrondit au moment de chanter
ensemble n'a plus ce pli en coin qui se transforme
pour un rien en un sourire naïf. Ils ne sont pas adultes non plus, ils ne sont rien, enveloppes décharnées,
enroulées autour d'un passé qui les ronge.

À table, Marie-Laure repousse son assiette.
Elle n'a pas faim. Jany tente de la raisonner, la
fillette doit se forcer pour ne pas être malade, pour
continuer de vivre. Bientôt, elle partira d'ici. On va
lui trouver une nouvelle famille où personne ne lui
fera de mal. Son papa viendra la voir, c'est promis.

Marie-Laure entend la voix de l'éducatrice
comme un lointain murmure, un bruit de ruisseau
entre les herbes. Comment pourrait-elle manger
puisqu'elle n'existe plus ? Ici, il n'y a pas de château derrière les nuages. L'ange noir ne vient pas,
chaque nuit, se pelotonner contre elle en ronronnant. Le lit est froid, les murs n'ont pas d'image.
Elle veut revenir chez Mme Lorris. Jany et les autres
n'ont pas compris que les coups que Marie-Laure
recevait n'avaient pas d'importance. Ici, elle n'est

pas battue, mais elle ne vit pas. Morte, elle rejoindrait sa mère dans ce palais où la lumière est si pure qu'on peut voir à travers les montagnes.

Le temps passe, insensible ; Marie-Laure n'a pas conscience de sa fuite. Ce qui reste d'elle s'est replié au plus profond de ses pensées. Elle rêve à son chat. Avec les jours, Jany finit par la décider à manger. L'éducatrice s'assoit près d'elle et lui parle. Elle lui raconte des histoires, lui fait la lecture, espérant qu'au hasard de ces textes, un mot, un silence peut-être, susciteront une remarque, un signe du visage, le premier pas vers la vie.

Les jours se ressemblent. Lever, petit déjeuner, école, déjeuner… Après les cours, les enfants sont conduits au jardin voisin. Ils jouent jusqu'à l'heure du dîner, puis rentrent à l'institution. Marie-Laure refuse de participer aux jeux de l'éducatrice, qui n'insiste pas : il faut que la petite fille s'habitue à la vie en collectivité, qu'elle s'accepte elle-même avant de se tourner vers les autres. Jany s'y emploie avec douceur, tente de colmater les blessures, d'apaiser les anciennes douleurs. Elle doit s'obstiner tout en évitant toute précipitation, attendre, laisser le temps émousser les aiguilles plantées dans sa chair à vif.

Ce soir, Marie-Laure marche seule dans l'allée du parc. Les autres sont un peu plus loin et

jouent avec Jany. Tout à coup, la fillette aperçoit un chat noir qui sort d'une touffe d'arbustes et s'éloigne à toutes jambes vers la rue. Elle pousse un cri :
« Bunit, mon Bunit ! »

Elle court dans la direction où l'animal a disparu. Jany se précipite. La petite fille passe le portail ; l'éducatrice la rattrape sur le trottoir, l'arrête. Marie-Laure tourne vers elle des yeux apeurés et rentre la tête dans les épaules, comme elle le faisait avec Mme Lorris. Mais Jany lui sourit. Sa bouche un peu grande, son visage osseux, et ses yeux dans lesquels l'enfant ne lit aucun rejet, aucune haine, sont aussi clairs que ceux de Marie-Laure sont sombres.

« Marie-Laure, voyons, tu risques de te faire écraser par une voiture. Qu'est-ce qui t'a pris ? »

Marie-Laure se mord la lèvre inférieure. Elle baisse ses grands yeux. Les boucles de ses cheveux roulent sur ses joues.

« J'ai vu mon chat. »

À cet instant, Jany, qui est croyante, a envie de se mettre à genoux et de remercier Dieu. Enfin, la fillette vient de parler, d'exprimer un désir, un sentiment aussi. Là où les lectures, les histoires les mieux tournées n'ont rien donné, le passage furtif d'un chat de gouttière a suffi. Ce n'est qu'une porte entrouverte, un fil bien fragile qui conduit vers la lumière, mais un espoir.

« Ton chat ? Tu avais un chat ?

– Il s'appelle Bunit. Il est tout noir, avec quelques poils blancs sous le cou. »

Marie-Laure ne dit pas que Bunit n'est pas un véritable chat, mais un ange. Les autres ne doivent pas le savoir, sinon, il partirait derrière les nuages, chez sa maman, et elle resterait seule avec l'envie de mourir.

« Où est-il, ton chat ?

– Chez Mme Lorris. »

La fillette renifle ; deux larmes se forment au coin de ses yeux et coulent sur ses joues, petits serpents incolores. C'est la première fois qu'elle pleure depuis des années.

« Ton chat, je te le promets, j'irai le chercher pour que tu l'emportes avec toi dans ta nouvelle famille. »

Marie-Laure se précipite dans les bras de Jany et la serre très fort. La jeune femme aussi a les larmes aux yeux.

Bunit s'enfuit toujours de la maison quand les jumeaux sont là. Les deux garçons se plaisent à lui tirer les moustaches, à le soulever par la queue ou la peau du cou. Parfois, ils l'enferment dans le placard ou l'attachent par une patte à la table. Et si Bunit sort ses griffes, il est chassé à coups de balai.

Il a pourtant ses habitudes et continue de venir dormir sur le vieux canapé. Mme Lorris le tolère, mais désormais quelque chose lui manque. Le tissu usé n'a plus l'odeur de la petite fille. À mesure que cette trace s'estompe, l'image d'une Marie-Laure maigre, aux yeux trop grands et trop noirs, aux boucles lourdes, s'impose au chat. Elle ne le quitte pas lorsqu'il s'allonge dans la poussière pour profiter du soleil, le harcèle quand il attend, immobile, un merle affairé à piocher une pomme oubliée. S'il s'endort, la fillette vient le voir dans son sommeil, lui parle de cette voix minuscule que n'a aucun autre humain, le caresse, et il peut se pelotonner contre elle. Au réveil, Bunit, qui ne sait pas ce qu'est le rêve, sait quand même qu'il n'a pas vu Marie-Laure, qu'elle a disparu à tout jamais et que son absence lui fait très mal. Alors, il repart sur la route à l'endroit où, le premier jour, il a senti l'odeur de la fillette. Il s'éloigne de la maison, toujours plus loin, toujours bredouille.

Chaque soir, dans l'espoir qu'elle sera dans son lit, Bunit vient regarder au soupirail, et ses yeux jaunes, si beaux dans la nuit, ne voient qu'un vieux canapé vide, des vêtements abandonnés, tout un fouillis d'où Marie-Laure est exclue. Il retourne alors au cerisier où il s'installe sur la grosse branche du bas et attend, somnolent, le chant lointain du coq et les premières lueurs du jour. Quand le père part sur sa Mobylette, il sait que, dans peu de temps, les jumeaux partiront aussi. Mme Lorris sera seule. Elle est alors moins hargneuse et Bunit aura droit, si tout va bien, à un peu de lait.

Un jour, Bunit n'y tient plus. Jusque-là, il s'est contenté de faire le tour de la maison, mais ce n'est pas suffisant. Il décide d'aller au bout de cette route où la voiture a emmené la petite fille.

Bunit craint la route et ces monstres bruyants qui passent très vite. Avec les années, il a appris à les éviter, mais la panique s'empare de lui chaque fois qu'il entend un bruit de moteur se rapprocher. Il part à la tombée de la nuit. C'est l'heure où les chats se réveillent, où un frémissement parcourt leur dos. L'animal câlin devient prédateur, démon… Bunit court le long du fossé. Ses sens sont en alerte : on ne vit pas huit années la nuit sans en connaître les dangers. En premier, les chiens errants, puis les renards et toutes les bêtes qui peuvent surprendre. Car la faiblesse de Bunit est là. Quand il peut faire front, quelques coups de griffe sur la truffe sensible ou dans les yeux ont tôt fait de rebuter les plus gros adversaires ; par contre, dans la fuite, il est une proie facile à la portée d'une fouine.

Il court longtemps, sans prendre garde aux mulots qui détalent devant lui, aux crapauds qui le regardent passer de leurs yeux immobiles et lumineux. Une martre dérangée s'aplatit et tourne vers lui son minuscule museau. Bunit s'arrête, en garde. Il sait que ce petit animal est presque aussi bien armé que lui. La martre ne fuit jamais et se bat jusqu'à sa dernière goutte de sang, mais Bunit ne veut pas le combat ; aussi recule-t-il de quelques pas et fait-il un détour. La martre n'insiste pas et poursuit son chemin vers quelque rapine.

Au petit matin, Bunit est fatigué. Il a tourné autour de toutes les maisons dans l'espoir d'y trouver la trace de Marie-Laure, mais rien. Le ciel blanchit ; les premières voitures passent sur la route. Il se dirige vers la forêt. Les maisons s'allument, les bruits du jour remplacent le grésillement de la nuit.

Quand il voit l'homme lever son fusil vers lui, Bunit hésite. Il connaît ces armes qui font un bruit de tonnerre, mais jamais il n'a eu à les redouter. Au moment où le fusil tonne, il saute de côté. Une terrible brûlure irradie sa cuisse. Il reste un moment assommé. Le chasseur est parti, content d'avoir brûlé une cartouche contre ce terrible nuisible capable de décimer les perdreaux de l'année, de vider la forêt de ses lapins, le chat de ferme redevenu sauvage. Animal diabolique, il chasse pour chasser, même s'il n'a pas faim, il commet le crime impardonnable de faire la même chose que les hommes.

La douleur crépite dans ses os broyés. Il doit pourtant se mettre à l'abri, se cacher au plus profond du taillis. Il s'agrippe au talus, se traîne sur les feuilles. Chaque effort plante une lame rougie dans ses muscles. Il sait vaguement que son voyage va se terminer ici, que la nuit prochaine, un renard en vadrouille va le déchiqueter à coups de crocs. Cela, il l'a vu cent fois dans sa vie et ne peut qu'en accepter l'augure. Un visage de fillette flotte dans ses pensées. L'envie de se blottir contre ce petit corps, de dormir encore sur le vieux canapé, lui donne un moment de répit. Mais tout ceci est déjà perdu derrière un rideau de fumée blanche.

Dans sa nouvelle famille, Marie-Laure pourrait être heureuse. Elle le serait certainement si le passé ne pesait dans son cœur. Jany lui a dit d'appeler Mme Leblanc, tante Yvonne, et M. Leblanc, oncle Paul. Mais Marie-Laure ne peut s'y résoudre. Certains mots sont ainsi trop difficiles à prononcer parce qu'ils demandent un renoncement de soi. Mme Leblanc est une grosse femme au visage large et souriant, aux cheveux courts très bouclés ; Marie-Laure l'a tout de suite adoptée… M. Leblanc ne pose jamais sa casquette, même à table. Une cigarette éteinte au coin des lèvres, il travaille toute la journée dans son jardin et raconte à la fillette des histoires d'animaux qui la font rire. Ils acceptent que Jany apporte Bunit, mais les jours passent et Marie-Laure s'impatiente. Jany lui dit qu'elle n'a pas le temps d'aller chercher le chat, mais la fillette sent qu'elle lui cache quelque chose. Alors, elle n'insiste pas : son ange noir n'a pas besoin de l'éducatrice pour la rejoindre. Il peut traverser les montagnes d'un bond, courir au milieu des étoiles, faire le tour de la terre pour frapper à ses carreaux. Elle demande à Mme Leblanc de dormir sans fermer les volets de sa fenêtre, et chaque soir, elle regarde la nuit, les maisons voisines qui s'éteignent, les toits qui luisent dans l'obscurité... Un soir, deux lunes d'or s'allument derrière les vitres. Marie-Laure sursaute ; son cœur s'emballe. Elle se précipite. Ce n'est pas Bunit, c'est le chat blanc des voisins qu'elle caresse de temps en temps. Quand il se met à ronronner en se pelotonnant contre elle, la fillette comprend que l'ange a changé d'apparence, mais c'est bien lui, avec son poil soyeux et ses pattes aux caresses si douces.

« Bunit, comme tu es gentil d'être venu de si loin, du château derrière les nuages ! dit-elle en pleurant des larmes de bonheur. Je m'ennuyais tellement sans toi ! »

Le lendemain, Jany arrive en fin de journée. Elle ne sourit pas, ses beaux yeux clairs sont graves.

Elle prend Marie-Laure par la main et lui parle longuement de choses vagues, des animaux, des chats qui ne vivent pas aussi longtemps que les hommes, et même si c'est une injustice, il faut bien l'accepter. Marie-Laure comprend et demande d'une voix blanche :

« Bunit est mort ?

– Non. On l'a perdu ! On ne sait pas où il est. »

Marie-Laure regarde Jany en souriant :

« Moi, je le sais ! » dit-elle, embrassant Jany sur les deux joues avec une force qui montre bien que la petite fille a retrouvé le goût de vivre.

III

Le taureau dans l'arène

L ORSQU'IL ARRIVE DANS L'ARÈNE, Bonto se heurte à un mur de lumière. Il reste longtemps hébété, la corne basse. Les cris de la foule déferlent sur lui, une montagne de cris qui l'écrase. Du fond de sa prison, il regarde la masse colorée des hommes qui l'entourent. Un liquide brûlant coule en lui, il voudrait fuir, retourner dans ses pâturages d'automne où l'herbe déjà jaune répand dans la bouche un goût acidulé. Une forte odeur de sang monte du sol et accélère le tremblement de ses membres.

Bonto est né dans la douceur d'un avril farfelu, au creux d'un vallon, près d'un étang couvert de roseaux. Le troupeau s'était arrêté à cet endroit pour la nuit sous quelques saules qui le protégeaient d'une lune crue et encore froide. Sa mère, une vache de quatre ans, s'était couchée entre les mâles. Elle lécha longuement Bonto jusqu'à ce qu'il tente de se dresser sur ses jambes maladroites et raides.

31

Debout, il chercha la tétine dans les replis chauds du ventre, promenant son museau humide sur le doux pelage. Il but quelques gorgées d'un lait épais et sucré. Vite repu, il roula dans l'herbe et s'endormit entre les adultes. C'était ainsi depuis la nuit des temps… Le lendemain, Bonto serait capable de suivre le troupeau dans sa vie itinérante.

Le ciel brûle ; des nuages grumeleux que le vent pousse roulent vers l'horizon, tanguent, se déforment. Le drap rouge danse. Bonto ne voit plus rien que ce papillon et le visage de l'homme qui le brandit. La clameur vide de l'huile bouillante dans ses veines. Il veut fuir ce mur de bruit plus haut qu'une colline, cette prison de lumière. Alors, il tourne dans l'arène, bouscule cette flamme rouge qui se dérobe devant ses cornes pour réapparaître aussitôt. Une tenaille lui mord le cœur. C'est pourtant un paisible taureau de Camargue qui, jusque-là, ne se battait que contre ses semblables pour défendre sa place dans le troupeau ou conserver les faveurs d'une vache…

Tout à coup, un bruit éclate, rempli d'aiguilles qui se plantent dans le cuir de Bonto. L'animal s'élance. Ses mouvements naissent d'eux-mêmes, sans effort. Là-bas, sur les gradins, la foule gesticule, se hérisse, coule, lave prête à le submerger, le noyer dans ses replis visqueux. Un goût âpre monte à la gorge du taureau, une aigreur de fiel répandu.

Derrière tout cela, cette nuit qui s'est brusquement transformée en enfer de lumière, ses vaches et ses veaux l'attendent. Là, il est le chef du troupeau, celui qui marche devant, le vainqueur de l'ancien Rabbat qui était probablement son père.

Bonto grandit à l'écart des mâles qui montraient la corne pour un rien, soucieux de préserver leur place et fiers de leur rang derrière Rabbat. L'herbe tendre ne manquait pas. Veau espiègle, il volait, par jeu, le lait de quelque vieille vache jalouse et hargneuse, ou bien il agaçait les jeunes taureaux, ses aînés d'un printemps, qui s'aiguisaient les cornes contre les talus avant de provoquer les adultes. Les jours passaient, sereins.

Des cavaliers approchaient parfois le troupeau. Un long frémissement agitait les animaux. Les mâles nerveux grattaient le sol de leurs sabots : chaque fois que les hommes surgissaient dans l'immense plaine, c'était pour voler les meilleurs d'entre eux. Rapidement maîtrisés, ils étaient enfermés dans un camion et on ne les revoyait plus.

Bonto n'avait jamais été inquiété. Une fois, seulement, à la fin de son premier été, fuyant devant les chevaux, un lasso s'abattit sur lui, noua ses jambes. Il roula dans l'herbe. Les gardians mirent pied à terre. L'un d'eux lui fixa quelque chose de brûlant sur l'oreille puis le libéra. Pendant quelques jours, le poids sensible de cette oreille lui rappela sa mésaventure, mais il finit par l'oublier, ignorant le sens de cette médaille métallique entre ses poils, où était inscrit un numéro.

Les jours passèrent très vite. Bonto se fondait dans la masse du troupeau. À mesure qu'il grandissait, il en ressentait les peurs, les joies, les moindres frissons qui parcouraient les échines. Quand, la nuit, les chiens rôdaient, toutes les bêtes se levaient en même temps. Le soir, la lointaine silhouette d'un homme à cheval suffisait à les agiter...

Maintenant, le voilà seul. Un homme fond sur lui et plante des bâtons entre ses épaules. Il sent les pointes d'acier pénétrer son cuir. Les lourdes banderilles colorées se balancent et bougent dans sa chair. Une douleur aiguë, plus vive que celle d'un gros taon de Camargue, plus brûlante que celle d'une épine d'acacia, irradie son dos et progresse jusqu'à son cœur qui s'emballe. Les hommes tournent autour de lui, l'incitent à foncer, le provoquent. Du bout de ses sabots, Bonto racle la sciure qui vole en gerbes d'or derrière lui. Un immense tumulte agite son corps, ses yeux se remplissent de sang. Il respire très vite ; l'air lui manque. L'écume coule en longs filets de sa bouche ouverte.

34

La foule se tait. Bonto, immobile au milieu de l'arène incandescente, attend, la tête basse, les cornes en avant. Il ne pense pas, aucune image ne vient ternir cet éblouissement de son cerveau. La douleur des banderilles s'est momentanément apaisée. Le silence de ce haut mur d'hommes retient une menace imminente qui le paralyse.

Tout à coup, la musique explose. Un cavalier arrive, juché sur un cheval bardé de matelas. La bête avance lentement, gênée par cette armature qui la protège. L'homme tient, dirigé vers Bonto, une longue pique hérissée de dents d'acier. Alors, Bonto fait face, comme il l'aurait fait dans sa prairie natale devant un autre taureau. Son instinct ne lui laisse aucune alternative. Les hommes ont choisi ses ancêtres pour qu'il en soit ainsi, ses cornes se plantent dans la carapace laineuse du cheval. La pique pénètre son cuir, entre les épaules. Un brasier s'allume dans ses muscles et progresse en lourdes vagues à mesure que la pointe dentelée explore la chair de son dos, la triture, la moud. Bonto beugle de douleur. La foule crie ; alors, il plante encore ses cornes dans cette épaisseur capitonnée ; la pique mord de nouveau, longtemps, très longtemps, beaucoup plus que les anciens étés, que le vent brûlant de lumière ces soirs d'août où il regardait mourir des nuages rougeoyants qui pompaient l'eau des lagunes. Plus que sa vie antérieure, d'ailleurs, elle a disparu, elle s'est perdue dans ce passé qui n'existe pas. Son troupeau ? Ses prairies entre les canaux ? Bonto est né ici, dans cette arène, il y a quelques minutes, né de la foule, des cris, de la lumière, né de la douleur.

L'air n'est que bruit et feu. Sous les coups de Bonto, le cheval recule et tombe sur le côté. Des hommes le remettent debout, et les dents acérées pénètrent une nouvelle fois dans sa chair, toujours au même endroit, toujours plus profond. Le sang coule à gros bouillons de ce cratère béant, se coagule en lave noire…

Le picador disparaît comme il est venu. Il retourne à l'ombre des gradins qui l'a vomi. Bonto tire la langue, halète. Les pattes avant écartées, il ne bouge pas. L'étau de douleur de son dos l'empêche de soulever la tête. Pourtant, des hommes s'avancent vers lui, agitent la flamme rouge, viennent le narguer jusque sous ses cornes. Et Bonto, beuglant tellement il a mal, fonce sur eux. Ce n'est pas un acte volontaire, tout autre animal que lui fuirait, mais l'ordre de foncer est inscrit dans chacun de ses chromosomes, pour le plaisir des hommes.

La foule se lève quand le matador arrive dans l'arène. Des fleurs pleuvent autour de lui. Des femmes agitent les bras vers Paco qui leur envoie des baisers de la main. Son habit blanc est constellé d'étoiles. Il sourit, le torse bombé, un coq. Bonto le reconnaît : c'est celui qui a planté les banderilles sur son dos tout à l'heure, éveillant la première douleur de cette longue torture. Il est léger, aérien, une plume. Tandis qu'il sourit, la lumière qui aveugle Bonto aveugle à son tour Paco, et les images de paix, de bonheur dans une villa toute proche, cèdent la place à une force sans nom, née du plus profond de son être. Il n'y a pas de haine dans cette force, ni le moindre désir sadique de souffrance gratuite et de domination. Il y a seulement la volonté d'aller encore plus loin dans le risque, d'éprouver cet éclair de plaisir inouï et grisant quand la pointe acérée d'une corne frôle son flanc. Il n'est pas là pour forcer l'admiration de ces femmes qui lui écrivent des lettres enflammées, de ces hommes qui saluent son courage, il est là pour lui. Parce qu'il a peur.

Après deux étés, Bonto était devenu un véritable taureau, la corne forte, ne reculant pas devant un rival pour profiter d'une vache que Rabbat lui abandonnait. Le vieux chef consacrait ses dernières forces à conduire le troupeau dans les meilleurs pâturages, entre les canaux. L'eau reflétait les saisons : tiède en été, fraîche en hiver. C'était bon d'y enfoncer le mufle et de noyer à grandes gorgées le feu de la panse pleine !

Très vite, Bonto eut quatre ans. Le meilleur âge pour un taureau. Il avait gravi une à une les places dans le troupeau, jusqu'à marcher derrière Rabbat. Ses luttes quotidiennes avec les autres mâles avaient fait de lui un animal puissant, ne craignant rien, pas même le chef. Un soir, tandis que Rabbat grattait le sol en guise de défi, Bonto ne détourna pas la tête et accepta le combat. Le choc fut terrible. Bonto roula dans l'herbe, vaincu. Les jours suivants, Rabbat ne l'accepta pas dans le troupeau et il dut rester à l'écart. Mais tout s'oublie dans la plaine. Taureaux, vaches, oiseaux, poissons, nul n'échappe à son destin. Une semaine plus tard, lorsque Bonto reprit sa place derrière le vieux mâle, celui-ci ne s'arrêta pas de brouter. C'était le début de sa défaite. Le savait-il ? Ces choses-là ne s'expriment pas. Elles sont. Comme le vent. Comme la sève au printemps et le lait dans les mamelles des jeunes mères.

Debout sur les gradins, la foule s'agite, semblable à ces longues herbes d'été quand le vent se lève. L'air pèse sous un ciel de fer rougi. Inlassablement, Bonto fonce et tente d'atteindre ce mur rouge qui s'estompe toujours, qui refuse la lutte. L'ovation des spectateurs accompagne ses mouvements. Un ballet où, sans le vouloir, il épouse les gestes gracieux de l'homme. Il ne sent plus la douleur ; un rocher appuie sur ses épaules. Alors, il fonce, devenu sans le savoir élément de la foule, sa chose, sa drogue. En lui convergent les instincts retenus de milliers d'hommes, toutes sortes de pulsions dénaturées, peut-être les mêmes que les siennes.

Ses muscles durs craquent en se détendant. Il s'obstine pourtant face à la muleta qui s'évapore sous ses cornes au moment précis où il va la toucher. Dès qu'il veut bouger la tête à droite ou à gauche, un étau de feu plante ses vrilles jusqu'à son cœur emballé. Déjà, il doit se reposer entre deux attaques. Sa vue se voile et les invectives de l'adversaire déclenchent moins vite son réflexe. Ses cornes lui pèsent. La raideur du bois fige ses muscles. Pourtant, son instinct lui commande de se battre encore et toujours.

Contre Rabbat, ce fut un véritable combat. Taureau contre taureau, corne contre corne. Sans tricherie. Sans blessure au dos. Sans peur, non plus, parce que nécessaire pour la survie du troupeau à l'instant même où il se produisit.

Le printemps avait cédé la place à l'été. L'eau tiède de la lagune exhalait une forte odeur de pourriture. Une ombre dure semblait manger le cœur des feuillages recroquevillés. Tout était sec et brûlé. Le vent soulevait une poussière ocre et étouffante.

Parfois, de violents coups de tonnerre sans pluie illuminaient la nuit…

Le combat ne dura pas longtemps. Pas un veau ne s'en étonna. Les vaches ne s'arrêtèrent pas de brouter. Dans la plaine de Camargue, la rivalité n'existe pas. La pitié non plus. Le plus fort doit conduire les autres, et Rabbat n'était pas le plus fort.

Au bout de quelques coups de cornes, le vieux mâle roula dans la poussière. Il se dressa de nouveau, la tête basse, mais la deuxième attaque fut encore plus brève. Vaincu, il fut abandonné agonisant. Les bêtes partirent vers d'autres landes, Bonto à leur tête. Seuls les hommes pouvaient désormais changer le cours de son destin.

Tout va mieux. Bonto respire à pleins poumons. Son cœur s'est apaisé. Ses muscles ont retrouvé un peu de souplesse. De nouvelles forces attendaient au fond de lui qu'il ait vaincu la douleur, renversé ce mur de chair broyée, cette explosion permanente. Il peut, de nouveau, déplacer la tête à droite et à gauche. Tout à l'heure, tandis qu'il fonçait une nouvelle fois sur la flamme rouge, il a frôlé une forme vivante et molle : le corps de l'homme. La foule se tait. Elle a compris que l'animal est désormais dangereux, la blessure de la pique ne le gêne plus et il sait trouver l'adversaire. Une nouvelle passe et la corne droite déchire l'habit de lumière au-dessus de la hanche. Paco n'est pas blessé, mais il a senti la caresse de la mort, son défi.

La foule hurle. Elle veut du sang. Celui du taureau ou celui de l'homme. Elle admire comme elle hait, spontanément, sans modération, sans réflexion. Immense force à la merci du premier beau parleur, elle fabrique ses envies qui dépassent ceux qui la composent. On tend l'épée de la mise à mort à Paco.

Il regarde le taureau qui bave. Ses cornes effilées, tranchantes comme cette épée, et capables de le transpercer en un éclair. Le voilà en face de ce qu'il redoute et avec quoi il joue chaque jour, la mort, autant par peur que par orgueil. L'homme sait bien que, s'il tue tout de suite ce taureau, elle aura gagné, et plus jamais il n'aura la force de la regarder en face ; plus jamais il ne sera un homme.

« Plus tard ! » dit-il en repoussant la lame brillante.

Pourquoi, à cet instant, pense-t-il à sa maison blanche comme son habit, à son grand parc et à ses arbres couverts de fleurs ? Hier encore, c'était le printemps dans ce parc. Julia allait d'une touffe à l'autre et cueillait un bouquet de fleurs rouges. Elle chantonnait ; Paco avait couru vers elle et l'avait prise dans ses bras... Julia est quelque part dans cette foule et l'attend. Tout à l'heure en sortant sous l'ovation, les bras chargés de fleurs que des inconnues vont lancer sur ses pas, l'homme en habit de lumière ira vers elle tout ému, plus touché par ses larmes de joie que par les cris de ces milliers d'admiratrices.

Mais la victoire n'est pas simple routine spectaculaire. Paco le sait. Pourrait-il se pardonner d'avoir reculé devant une bête, de l'avoir tuée parce qu'il a cédé à la peur ? Non, sa femme attend un vainqueur, et non un fugitif. Ses larmes seraient amères. Celui qu'elle aime doit aller au bout de ses gestes, de sa passion. Vivre est toujours la meilleure manière de marcher vers son amour.

Alors, Paco se plante devant Bonto. Le combat est désormais à armes égales. La foule a compris et se tait. Le silence immobilise la lumière. Le ciel flamboie. Bonto fonce de nouveau sur le drap rouge. Maintenant il sait où se tient l'adversaire et sa corne le trouve, s'enfonce sur le côté. Quelque chose cède. La foule a un cri bref, incisif, un éclair. L'homme salue tout de même ; son habit de lumière rougit à la cuisse. Là-bas, dans les gradins, une belle femme brune pousse un cri dans ce silence pesant et s'évanouit.

« Tu es blessé ? C'est grave ?

– Ça ira. Laissez-moi tranquille ! »

– Alors, tue-le tout de suite ! Sinon c'est lui qui va t'avoir. »

Paco serre les dents. Sa cuisse lui fait très mal et gêne ses mouvements. Le taureau, en face de lui, attend, la corne basse.

« Il est bien placé, dit l'homme derrière la balustrade. C'est le moment, je fais sonner la mise à mort.

– Pas encore ! » dit Paco, et la foule, émue, l'applaudit.

Il ne pense plus, Paco. Comme Bonto, il vient de franchir son ultime barrière, celle de l'entendement humain. Une étrange griserie se répand en lui. La mort fait les yeux doux au toréador. Et il se laisse séduire, comme si c'était d'elle qu'il rêvait depuis toujours, depuis son premier taureau…

La muleta s'agite. Si le soleil s'éteignait d'un seul coup ? Si l'ordre des choses établies se renversait ? Ce monde si doux basculerait dans le néant pour rien, gratuitement, pour régler un compte personnel. Tant pis ! Les passes se succèdent, l'animal cherchant l'homme, et l'homme accomplissant des prouesses d'agilité pour lui échapper.

« Paco, ta femme a eu un malaise. Tue ce taureau tout de suite ! Elle te réclame. »

Comment pourrait-il entendre ? Il n'est plus de ce monde, il marche vers l'inconnu. La foule prête à le porter en triomphe a disparu. Paco ne voit que la pointe de ces cornes qui sifflent dans l'air.

« Si tu ne le tues pas tout de suite, on arrête la corrida ! menace de nouveau la voix.

– Encore une passe, une seule ! »

Paco vole au-dessus de la bête qui le cherche, échappe au dernier moment aux pointes acérées poussées vers lui par cette montagne de muscles. Sa jouissance est extrême. Bonto est le meilleur taureau qu'il ait jamais toréé. Infatigable, encore capable de le menacer. On ne tue pas un animal exceptionnel avant qu'il soit au bout de ses forces.

Bonto s'élance de nouveau. L'homme, qui n'a plus mal à la cuisse, agite la muleta. Au moment de s'esquiver, son pied glisse sur la sciure. Cette fois, la corne se plante dans le gras du ventre, s'enfonce.

Paco pousse un cri. La foule a crié en même temps que lui. Des hommes se précipitent, détournent l'animal qui s'acharne sur sa victime dont le sang coule à flots. On évacue le blessé, qui a perdu connaissance.

De lourdes portes s'ouvrent. Le taureau est poussé vers le toril. Personne ne parle de sa grâce. Après la tourmente de la corrida, il resterait un animal furieux se ruant sur tout ce qui bouge, même ses vaches. Bonto va être abattu par un boucher. Le vainqueur de l'homme n'aura pas à subir l'humiliation d'une agonie publique. Il ne sait rien de tout cela. Pour Bonto, comme pour tous les animaux du monde, la mort n'existe pas. Il y a seulement cette peur panique d'une chose indéfinie, gravée dans ses gènes.

Le tumulte de son corps se calme lentement. La pénombre l'apaise. Devant ses yeux mi-clos, il voit s'étendre une vaste plaine entrecoupée de canaux. Le soleil se couche, rouge sur le Baccarès. Un héron traverse le ciel de son vol lourd… Ses vaches sont avec lui, couchées près de leurs jeunes veaux.

Il fait nuit. Dans le couloir de l'hôpital, une jeune femme brune fait les cent pas. La chaleur est accablante, pourtant elle grelotte, pliée dans un imperméable qui n'est pas de saison. Des gens vont et viennent, la regardent, mais ses yeux restent fixés sur ses chaussures. Son chapeau blanc est resté sur un banc de l'entrée. Cet après-midi, le monde a basculé. Sa vie a sombré dans ce qu'elle croyait impossible. Paco est peut-être mort. À cette idée, son cœur s'arrête aussitôt, ses poumons se bloquent. Julia chancelle. Il est mort pour un acte d'orgueil. Parce qu'il n'a pas pensé à elle, à eux, à ces jours radieux et ces nuits d'amour d'où ils renaissent chaque matin, neufs, nouveaux, plus vivants que la veille. À tout cela, il a préféré braver un animal. Pour des applaudissements, pour ces milliers d'admirateurs, il l'a trahie. À moins que ce soit elle qui le trahisse en ce moment !

Un homme en blouse blanche arrive. Quand elle le voit, la femme se précipite. Les larmes roulent sur ses joues rondes qui ont gardé quelque chose d'enfantin. Elle joint les mains. Une parole de cet homme et l'espoir s'éteint. Julia le redoute. La vérité lui fait peur. La voilà prête à prendre la fuite.

« Madame Ramirez, il est passé très près… »

Il n'est pas mort ! Merci, mon Dieu, de ne pas lui avoir fait payer mon égoïsme…

Julia a envie de rire entre ses larmes. Ses lèvres se tordent ; elle s'abandonne sans la moindre pudeur.

« Il a eu beaucoup de chance, continue le médecin. La corne est passée à moins d'un centimètre du foie. Mais il n'est pas prêt de retourner dans l'arène. »

Elle ne répond pas, Julia. Pourtant, elle sait que Paco retournera dans l'arène, qu'il ira encore jusqu'au bout du danger, de cette frénésie qui s'empare de lui quand la mort lui tend les bras. Paco est ainsi, et c'est ainsi qu'elle l'aime. Même si le ballet tourne au tragique. Ce soir, dans ce couloir d'hôpital, elle comprend qu'aimer Paco, c'est surtout le laisser libre…

IV

La nichée de Thora

T HORA SENTIT QUE QUELQUE CHOSE bougeait sous elle. La longue immobilité de la couvaison touchait à sa fin. Les uns après les autres, les poussins se libéraient des coquilles et se blottissaient, tremblants sous ses plumes chaudes. De son œil rond, la cane fixa une touffe de joncs qu'une tanche déplaçait en fouillant la vase. Le soleil s'écrasait en plaques dorées sur la face fumante de l'eau…

Le printemps tirait à sa fin. Il faisait déjà chaud. La brume matinale se levait par endroits et montait au-dessus des arbres dont les feuilles claires et tendres se teintaient du jaune lumineux de l'aube.

Au milieu de l'étang, un gros poisson sauta lourdement et son remous brisa la surface. Au moulin, Tonin parlait avec d'autres hommes. Ceux-ci s'en allèrent et Tonin entra dans le bâtiment construit sur le ruisseau. Il en ressortit peu après et

47

se dirigea vers l'étang. Il marcha au bord de l'eau, les mains dans les poches, sans rien voir de ce qui l'entourait. Thora ne le redoutait pas. Il passa près d'elle, les pensées ailleurs, vers des êtres et des choses que la cane ne pouvait imaginer. D'ailleurs, Thora n'imaginait rien. Elle ne voyait que ce qui l'entourait, ce qui bougeait ou la menaçait. Sa perception du monde se réduisait à son instinct de survie...

La femme de Tonin était plus grande que lui. Elle sortait rarement de la maison, et son visage long et blême exprimait quelque chose de démesuré, un désespoir trop grand pour espérer le vaincre.

Tonin arriva près des joncs et s'assit sur une sorte de caisse en bois peint. Il tenait un long bâton effilé au bout duquel pendait un fil à peine visible qu'il trempait dans l'eau. Parfois, il tirait à lui des poissons aussi brillants que des lingots de vif métal.

Du bout de son bec, Thora enleva les coquilles éparses dans le nid. Les poussins se serraient les uns contre les autres en une masse jaune. Elle scruta les alentours : une immense inquiétude l'envahissait. Cela n'avait pas le poids des mots et des phrases comme l'inquiétude humaine, non, c'était un frisson qui naissait de ses muscles, de ses fibres, un avertissement qu'elle portait en elle, nécessaire pour la survie de son espèce. Elle secoua ses

48

plumes hérissées en un rapide mouvement de va-et-vient.

Le soleil montait au-dessus des arbres. La chaleur commençait à devenir lourde, épaisse comme une eau croupissante mangée par des algues vertes. Ce soir, il y aurait de l'orage. La cane le savait, bien qu'aucun nuage n'assombrît le ciel. Un orage, c'était comme le danger sournois, comme la neige, le gel ou la bourrasque, Thora le prévoyait longtemps à l'avance…

De l'autre côté de l'étang, un homme fauchait, juché sur son tracteur rouge qui tournait autour d'un carré d'herbe. Thora se dégourdit les pattes en marchant entre les joncs, se vautra dans une flaque. Ses poussins se pressaient autour d'elle. Ils se rassemblaient, couverts d'un duvet foncé avec, de chaque côté, une tache jaune. Le moindre effort les fatiguait, et le simple fait de lever la tête un court instant pour découvrir l'étendue de l'eau, le moulin, le tracteur qui fauchait, pour écouter la rumeur de l'été et les cigales, les vidait de leurs forces.

Tonin continuait de pêcher, mais il ratait beaucoup de poissons. La minuscule tige rouge qui dépassait à peine de la surface de l'étang s'enfonçait brusquement et l'homme oubliait de ferrer. Il regardait, autour de lui, les arbres dont le feuillage tendre prenait une couleur bleutée sous le ciel incandescent. Thora distinguait nettement son visage large, sa moustache rousse qui lui couvrait la bouche, et ses yeux, des yeux d'homme, si différents de tous les autres, même de ceux de Barbet, le chien jaune. L'image fugitive de l'animal apparut dans sa tête ; elle eut un regard circulaire, le chien était un danger pour ses petits, mais il n'avait pas suivi le meunier.

L'homme poussa un juron. Le poisson qu'il avait soulevé hors de l'eau se décrocha et retomba avec un bruit de pierre. Tonin changea le ver de l'hameçon et remit la ligne à l'eau. Aussitôt un autre poisson saisit l'appât et, à son tour, fut soulevé avant de retomber. Le meunier jura de nouveau puis, cédant à un mouvement de colère, jeta la canne à pêche sur l'herbe. Il s'assit :

« Avec leurs fusées, leurs bombes atomiques et leurs saloperies, ils ont détraqué le temps et l'air. Voilà ce qu'ils ont fait ! Et maintenant, le sida, qu'ils ont dit ! Qu'est-ce que c'est cette cochonnerie ? »

Au bout de quelques heures, la plaque jaune s'anima, s'écartela, coula de chaque côté du nid de brindilles. Thora savait qu'il devait en être ainsi malgré les dangers, malgré la mort omniprésente. La mort ? Non, un canard ne sait rien du néant, ni de la seconde qui va suivre la seconde présente. Il fuit les dangers parce qu'il a en lui, inscrit par des millions d'années d'expérience, l'ordre de la fuite.

Un corbeau s'était posé à côté et attendait qu'un caneton s'égare pour lui piocher le dos de son bec puissant, mais Thora ne craignait pas l'oiseau noir. Elle enfla les plumes et courut dans sa direction, les ailes ouvertes. Le corbeau disparut, happé par le ciel immense et aveugle.

L'étang attirait les poussins. Sitôt réunie par l'appel de la mère, la nichée éclatait, se morcelait en huit boules imprudentes qui ne connaissaient rien de la vie ni de ses dangers. L'eau était si douce, si riche en nourriture succulente !

Tonin ne pêchait plus. Il semblait écrasé par le poids de l'air sur ses épaules voûtées. Des larmes brillantes de cette lumière neuve du printemps roulaient de ses yeux sur son visage. Il aperçut les canetons et eut un vague sourire. Ces petites boules de duvet jaune qui couraient sur l'eau lui rappelaient que la vie continuait autour de lui, sereine, avec ses certitudes cosmiques si loin du manège humain.

« Regarde-moi ça ! »

La femme au long visage blême rejoignit Tonin et s'assit près de lui sur l'herbe chaude. Le chien l'accompagnait. Il flaira la cane et s'approcha dans les joncs. Thora gonfla ses plumes et, le bec grand ouvert, tendit le cou vers Barbet. Le meunier appela l'animal qui fit demi-tour et se coucha près de lui.

« Ils se sont peut-être trompés ! dit la femme. Qu'est-ce qu'ils savent de plus que nous, les médecins ?

– Ils savent que s'ils disent que c'est leur sida, c'est leur sida. Et que notre petite Maryse… Mon Dieu, à l'époque des fusées qui vont dans la lune, tu vas pas me dire qu'ils peuvent rien pour cette enfant ? »

Il éclata en sanglot. Sa moustache se tordait, ses rides se creusaient. Les pleurs l'enlaidissaient ; sa voix était aiguë, un raclement de fer. La femme ne bronchait pas ; le masque de son visage était resté immobile. Ses lèvres fines étaient pourtant plus blanches que d'habitude.

« Notre Maryse, une petite fille si belle et si sérieuse… Tu vas pas me dire que… »

La femme inspira. Son visage s'anima tout à coup et, regardant la surface de l'étang, bouillante de lumière et d'insectes, dit d'une voix neutre, un peu sèche :

« Ils ont dit que c'était à cause de la transfusion qu'elle a eue après son opération. Le sang qu'on lui a donné était empoisonné !

– Justement, c'est pas normal qu'elle paie pour les autres ! »

Les sanglots de l'homme redoublèrent. Il se cacha la figure dans ses mains. Thora n'avait rien compris de tout ça. Elle était seulement restée à proximité des hommes parce qu'elle savait par instinct qu'elle n'avait rien à craindre d'eux et qu'ils tenaient ses ennemis à distance.

« C'est une punition du bon Dieu ! continua la femme. Ces filles qui veulent faire des choses interdites ! Le bon Dieu a voulu les punir et c'est notre Maryse qui paie pour elles. Une innocente ! Elles croyaient, ces femmes de la ville, qu'elles avaient tous les droits. Eh bien, c'est pas vrai !

– Moi je te dis qu'ils vont trouver le moyen de la guérir ! Ou alors le bon Dieu n'existe pas ! »

Après avoir scruté le ciel et les alentours, Thora entraîna ses petits dans une anse de l'étang et les conduisit sous des branches basses de saules… Lorsqu'elle vit Guinot, le brochet, il était déjà trop tard. L'énorme poisson, immobile sous la surface, de ses petits yeux jaunes guettait les canetons. En principe, Guinot vivait de l'autre côté, près de la bonde, sous un vieil arbre immergé. Chaque fois qu'il sortait de sa léthargie, un grand danger menaçait ceux de l'étang, grenouilles, gardons qui patrouillaient en bandes, crapeaux, rats… C'était un grand poisson immobile et invisible entre les herbes. Son dos et ses flancs brun-vert, constellés de taches de soleil, se confondaient avec ce qui l'entourait. Il pouvait rester des heures à attendre, frétillant à peine de ses nageoires brunes, sûr de la puissance de ses mâchoires hérissées de longues dents tranchantes. Il attaqua le premier oisillon qui passa à sa portée. La surface se déchira, s'ouvrit, béante, et le poussin disparut dans une gerbe d'eau blanche. Thora profita du répit pour entraîner les autres sous une touffe d'herbe. Tremblants, les canetons se pressaient contre elle. La famille se dirigea vers un tertre entouré d'eau de toute part, et attendit la nuit.

L'orage qui s'abattit fut violent, mais bref. Des éclairs lardaient le ciel. Des trombes d'eau réveillèrent une multitude de sources dans le pré. À l'aube, le soleil revint avec tellement de force qu'il éteignit rapidement la rosée et éparpilla la brume de la vallée.

Trois jours passèrent avec de nouveaux orages. Les canetons étaient plus vifs et plus rapides. Désormais, ils nageaient avec habileté, plongeaient pour aller cueillir des larves sur les galets du fond. Guinot avait disparu dans les profondeurs glauques de son repaire et ne reparaîtrait pas avant plusieurs jours. Thora décida de rester au bord de l'étang, sous les branches basses.

Buttet, le chat du moulin, avait découvert la couvée et la guettait, tapi entre les herbes. Comme le brochet, il savait rester immobile, les yeux à peine ouverts. Il attendait son heure, certain de sa victoire. Thora, qui ne l'avait pas vu, poussa son cri d'alarme lorsque l'animal bondit, toutes griffes sorties, mais il était trop tard pour fuir vers l'eau. Un poussin prisonnier piaillait en tendant le cou vers sa mère. Sourde à ses appels désespérés, la cane emmena les autres hors de portée du tueur, jusqu'à l'eau salvatrice que redoutait Buttet. Par jeu, le chat libéra sa proie blessée qui tenta de courir... Ses yeux ronds se fermèrent quand les crocs acérés pénétrèrent dans sa chair.

Les autres traversèrent rapidement des roseaux où les grenouilles, étrangères à ce danger, continuaient de coasser, de se donner au soleil qui affolait les insectes dont elles se goinfraient, de boire de la lumière, d'attendre on ne savait quoi, quelque chose de radieux, de lointain, une sorte de rédemption. Autour de l'étang, la vie comportait tellement de dangers que les rares moments de paix étaient des moments d'exultation dont ils ne percevaient qu'une sensation de bien-être intense.

Quand le troupeau de vaches arriva dans la prairie fauchée et que les lourds sabots renversèrent

les joncs, Thora dut battre en retraite. Le monstrueux bataillon avançait, aveugle, écrasant tout sur
son passage. Barbet tournait autour du troupeau en
aboyant. Le meunier marchait le bâton levé et criait
aux bêtes. Les vaches se mirent à brouter la grande
herbe et Tonin s'arrêta au bord du pré, essoufflé. Il
appela le chien qui vint se coucher à ses pieds. En
quelques jours, les joues du meunier s'étaient creu-
sées ; sa moustache semblait avoir épaissi. Ses épaules furent soulevées d'un gros soupir. Des larmes
pleines de lumière coulaient de ses yeux. Il sortit son
mouchoir blanc et s'essuya.

« Et ceux qui le lui ont donné, ce sang pourri,
tu crois pas qu'ils méritent un coup de fusil ? »

Il s'essuya de nouveau le visage puis, après
avoir commandé le chien après une vache qui s'éloignait, dit en montrant son bâton au ciel :

« Moi, je prends le train et je vais la voir à
Paris. Peut-être qu'ils nous ont tous menti et que
c'est pas vrai. »

Cette pensée sembla lui redonner quelque espoir.
Tonin plia lentement son mouchoir et l'enfonça dans
la large poche de son pantalon, puis regarda un
long moment les canetons qui jouaient entre les
joncs.

Le soir même, Thora conduisit sa famille à
une petite mare qui se trouvait un peu en retrait,

derrière une forêt de menthe sauvage. La traversée des grandes herbes n'était pas sans dangers, et quand la cane arriva à la mare, deux poussins manquaient. Elle les appela anxieusement, mais seuls les grillons firent écho à ses cancanements. Elle s'aventura de nouveau dans la menthe et, ne trouvant rien, eut envie de repartir jusqu'à l'étang où ils étaient peut-être restés, mais c'était trop risqué pour les autres. Elle se tint aux aguets toute la nuit, cherchant vainement, dans le tumulte métallique des insectes et le grouillement incessant de la mare, des cris qu'elle aurait reconnus. Elle n'entendit qu'un chien qui aboyait aux étoiles et deux hulottes qui se racontaient, avec des trémolos poignants, leur vie d'oiseaux de l'ombre.

La mare était bien protégée par des saules épais et feuillus. Il y avait encore plus de grenouilles que dans l'étang. Elles s'y chamaillaient continuellement, sautaient dans tous les sens et faisaient un vacarme insupportable. Arrivait l'ombre haute et maigre du héron, et tout ce peuple vert disparaissait dans les profondeurs, si bien que Rathino, le vieil échassier, était toujours entouré de silence. Cela donnait à sa silhouette anguleuse quelque chose de mystérieux, d'insaisissable, de triste aussi. Il avait dans ses yeux noirs une expression qui n'était pas celle d'un oiseau ordinaire, comme s'il était porteur de quelque secret terrible qui le vouait à une éternelle solitude.

Thora resta plusieurs jours près de la mare. Un soir, Furtif, le renard, sortit de la forêt et vint roder entre les joncs. Lorsque Thora vit la bête rousse glisser derrière la haie, elle émit un cri étouffé. Ses petits s'immobilisèrent aussitôt, se confondirent avec les herbes sèches dont ils avaient la couleur. Le renard ne les vit pas et poursuivit son chemin, le nez sur la mousse. Il avait probablement flairé quelque lapin, ou bien allait-il vers un poulailler dodu, car Furtif avait, en plus du goût de la chasse, celui de défier les hommes et les chiens.

Un matin, Tonin vint chercher ses vaches et les emmena dans une autre prairie. Barbet s'occupait des bêtes et passa près de Thora sans la voir. L'homme portait un large chapeau qui maintenait son visage dans l'ombre. La femme au long visage, qui s'était placée à l'entrée d'un chemin pour en interdire l'accès au troupeau, le rejoignit. Thora la regarda longuement de ses yeux d'oiseau. Elle était attirée par ces deux animaux qui semblaient vivre autrement, avec le vent, le tonnerre et l'insaisissable vérité dans leur tête bien trop grosse pour ne contenir que le nécessaire. Tonin répéta :

« La semaine prochaine, je monte la voir ! »

La femme leva ses yeux froids sur lui :
« Et qu'est-ce que ça va changer ?
– Ça changera que je veux savoir…
– Dis plutôt que tu veux te faire du mal ! »
Thora retourna rapidement à l'étang qui lui manquait. Les canetons avaient grandi et ne craignaient plus les grands espaces. Ils avaient acquis un instinct sûr et ne s'aventuraient jamais en terrain découvert sans avoir longuement regardé les moindres détails qui pouvaient cacher un danger.

Ce retour précéda une suite de journées heureuses, donc sans histoires. L'été rayonnait. Les fleurs distillaient des odeurs que la fraîcheur du soir rabattait sur le sol, épaisses, enivrantes. Les canetons pourchassaient les alevins de gardons, se goinfraient de têtards à ne plus pouvoir marcher. Tonin ne pêchait plus. Il était toujours absorbé par de lourdes pensées. La femme au long visage portait le même fardeau invisible. Elle aussi passait de longs moments à regarder le bout de l'horizon…

Les plumes des canetons avaient poussé, sauf sur les ailes qui restaient encore de minuscules moignons. Thora leur laissait plus de liberté… Au détour d'une touffe, l'un d'eux passa à côté de Shilla, la grande couleuvre verte. Le serpent ne fit qu'un léger mouvement pour attirer le regard de l'oisillon, qui fut aussitôt paralysé. Il se plaqua sur le sol. Les yeux fixes de Shilla plantés dans les siens avaient effacé le restant du monde. Une douce torpeur se répandait en lui. Un fil invisible le tirait vers cette bouche mécanique qui s'ouvrait lentement.

Il n'entendait pas les appels déchirants de Thora. Cloué au sol, face au serpent qui avançait avec une régularité d'horloge tandis que sa bouche sans lèvres s'agrandissait pour devenir un immense réceptacle rose, il se laissait aller.

Au dernier moment, le caneton entendit vaguement sa mère comme à travers une brume cotonneuse. Ses moignons d'ailes écartés, il plongea lui-même dans cet entonnoir, la tête la première, comme dans l'eau de l'étang lorsqu'il allait cueillir sur le fond des dytiques durs et savoureux. Ses pattes bougeaient encore quand le serpent l'avala.

Thora rassembla les trois survivants à proximité de la couleuvre, sachant qu'ils n'avaient plus rien à craindre. Elle acceptait la terrible réalité. La disparition de quelques canetons était nécessaire comme la montée du soleil, la venue de l'été, le froid et la neige qui paralysaient, comme la folle destruction de ces milliers d'alevins dont elle se régalait. Tout ceci était écrit au cœur même des choses et des êtres vivants : la fuite, la méfiance, l'instinct, la lutte pour quelques secondes de vie supplémentaires, pour respirer une dernière fois ou tout simplement attendre de longues heures vides sur une feuille de nénuphar. La mort et la vie se faisaient équilibre, se donnaient la main. C'était un jeu d'ombres et de lumières.

Mais Thora ne le savait pas. Elle allait de son pas de canard maladroit sur la terre ferme, passait à côté de Tonin qui s'essuyait les yeux à tout instant. Elle ne cherchait pas de sens aux choses, et quand l'homme s'écriait : « Mon Dieu, pourquoi ? », elle se terrait entre les joncs.

L'été était maintenant à son sommet. En pleine journée, la chaleur figeait la surface de l'eau, immobile dans un scintillement de métal fondu. Dans la pâture, des moutons s'ennuyaient, tantôt couchés à l'ombre, signe d'orage, tantôt au soleil, la tête tournée vers le nord, signe de beau temps.

La sécheresse craquelait la terre. Les sources avaient tari. La boue formait une croûte dure sur les berges nues de l'étang. Le vent les rabotait, soulevait des nuages de poussière aveuglante.

Maintenant, les canetons étaient trop gros pour Guinot qui ne cherchait plus à les pourchasser. Par jeu, ils passaient près du grand brochet endormi sous la surface, raide comme une bûche. Le vaste étang était leur domaine. Ils s'y déplaçaient avec autant d'agilité que les poissons.

Les jours coulaient, huileux de lumière épaisse, lourds de la chaleur de cet été que le triomphe condamnait. Le soir, le soleil avait déjà moins de force. Il tardait, le matin, à soulever la brume étalée sur la prairie voisine. Ce n'était plus ce soleil des aubes de juillet, puissant et vainqueur. L'ombre mangeait le cœur des feuillages salis et vieux.

Une voiture noire comme Thora n'en avait jamais vu vint se garer près de la porte du moulin. Les deux hommes qui en sortirent étaient vêtus de sombre. Ils ouvrirent la porte arrière et sortirent une caisse en bois verni sur laquelle était fixée une croix de métal. Tonin et sa femme pleuraient. D'autres voitures étaient venues se ranger et les gens se rassemblaient derrière la caisse. Le silence coupé de sanglots écrasait le moulin et donnait aux arbres et à l'étang un aspect inhabituel.

Tonin serrait les dents. Il marchait à côté de sa femme et d'un couple plus jeune. Tout à coup, la bouche tordue, il montra le poing au ciel :

« Un coup de fusil qu'ils méritent, un coup de fusil, comme des rats ! »

Personne ne fit de remarque. Au bout d'un moment, la voiture noire se mit à avancer très lentement, tandis que les gens marchaient derrière sans parler, la tête basse, le chapeau ou le béret à la main.

Des plumes avaient enfin poussé sur les ridicules moignons des jeunes canards. Un matin, l'un d'eux fut effrayé par la chute d'une branche sèche. Il se mit à courir sur l'eau en battant l'air de ses longues ailes toutes neuves, le cou tendu vers le large. Et l'eau se déroba sous lui. Miracle : il volait. Ses deux frères ne tardèrent pas à l'imiter. Ils tournèrent au-dessus de l'étang et découvrirent une immensité insoupçonnée. Ils avaient désormais envie de voyages, de nouveaux horizons, de lacs inconnus. Le lendemain, ils rejoignirent un vol de jeunes colverts et disparurent derrière le moulin.

Thora n'en éprouva pas de peine. Elle marcha un moment au milieu des joncs qui jaunissaient. Le soleil levant allumait dans les nuages des lueurs sanguinolentes. À son tour, elle s'envola vers l'horizon qui l'appelait.

Et Tonin, qui avait beaucoup maigri, marchait seul au bord de l'étang…

V

Un sanglier dans la cour

QUAND IL APERÇOIT LE FUSIL pointé sur lui, Huro fait un écart, s'enfonce dans le taillis entre les aubépines. L'arme tonne, une terrible douleur déchire le flanc gauche du vieux sanglier qui roule sur le sol gelé. Des chiens que les hommes encouragent se lancent à sa poursuite. Un deuxième coup claque et griffe le talus, mais Huro a été protégé par un tertre couvert d'herbes sèches et d'ajoncs. Oubliant sa douleur, il court, court droit devant lui. À chaque saut, la douleur lui transperce le flanc et bloque sa respiration. Il n'y pense pas. Tout son corps est tendu par cette fuite de la survie, cette force qui dépasse la douleur.

Quand les jappements des chiens se sont perdus dans la rumeur du bois, Huro s'arrête, haletant, à bout de forces, face à une prairie gelée, dure et sonore comme une peau de tambour. Le sang coule de sa blessure, emporte la chaleur de son corps et sa vie de bête puissante. À chaque battement de cœur, la douleur tassée sous ses poils gris se réveille et lacère son corps d'un violent coup de griffe.

La nuit va bientôt arriver. Le ciel gris s'épaissit d'une cendre opaque. L'hiver a mis sa carapace d'acier. La terre frisée se hérisse de paillettes de verre. Les cornes des feuilles mortes craquent. Les minuscules oreilles du sanglier s'ouvrent sur le silence infini de cette saison où rien ne bouge, et où les seuls cris sont ceux de l'agonie.

Ce soir, les arbres se taisent. Une lune sèche vient de sortir, immobile au-dessus de l'horizon. Depuis combien de temps Huro n'a-t-il pas mangé ? Ces derniers jours, il s'est rapproché des hardes, conquérant de vive lutte son droit au rut. Les ragots ont cédé la place devant la menace de sa large gueule aux redoutables défenses, mais d'autres mâles ont accepté le défi et le vieux solitaire a usé ses dernières forces dans ces combats nécessaires. Sous ses os épais, durs comme des boucliers, entre ses oreilles pointues, toute une série d'ordres qui naissent de son corps, de ses muscles, se traduisent par des comportements qu'il ne peut pas réprimer. Les femelles doivent être fécondées par les plus forts, c'est le prix de la liberté, de la survie. Huro ne peut décider que ce qui le touche directement : choisir un vallon pour passer la journée, se rouler en plein après-midi dans l'eau claire d'un torrent, dormir sous les jeunes sapins qui retiennent une fraîcheur odorante en été ; cela suffit à son bien-être. Il aime se laisser éblouir jusqu'au fond de ses petits yeux noirs par la lumière qui pleut entre les branches. Il aime respirer, sentir l'air de la nuit remplir ses poumons. Il aime, à l'automne, quand le jour se lève, avaler un lapereau ivre de trèfle tendre.

Mais cette liberté se paie au prix fort. Le répit est plus ou moins long ; la chance se donne parfois, se refuse souvent. Il ne faut pas compter sur elle pour échapper aux hommes sournois qui peuvent être partout. Huro ne craint aucun autre animal : combien de chiens a-t-il éventrés d'un coup de ses défenses tranchantes ? Seule l'odeur de l'homme le fait frémir, allume la terreur au fond de ses yeux.

Huro n'en peut plus. Les impressionnantes défenses qui apeurent les jeunes bêtes rousses sont lourdes des années qui les ont produites. Le vieux solitaire sait qu'il n'échappera pas toujours aux chiens et aux fusils. Jusque-là, il a fui à temps, sauf cet après-midi. Pourquoi a-t-il hésité entre le fourré et le monticule derrière lequel se dissimulait le chasseur ? La mort, pour un sanglier – c'est-à-dire la crainte instinctive du néant dont il a vaguement conscience –, a souvent l'aspect anodin d'une infime hésitation.

Huro avance à découvert dans le pré dur où l'herbe gelée se brise comme du poil de brosse… Le jour minuscule, gris, ne monte pas plus haut que les arbres. L'animal sait aussi que bientôt le soleil va s'attarder au-dessus de l'horizon. L'herbe poussera, tendre sous la neige. Les linottes se mettront à chanter, un peu tristes sur les arbres encore sombres. Un vent frisquet portera l'odeur aigrelette des marcassins endormis contre les tétines de leur mère. Tout commence dans le froid et s'y achève. La branche qui prépare ses bourgeons, les petits dans le ventre des mères… La fête de l'été se prépare déjà au plus secret de cette campagne morte.

Huro n'y assistera probablement pas. Les blés en fleur, le velours des taillis couverts des premières feuilles, tout ceci se trouve dans un avenir trop lointain. Il vit au présent, avec ce qu'il voit, ce bout de pâturage, cette haie d'aubépines hérissée, ce mur de brume. Les pattes lourdes, la douleur au flanc toujours aussi vive, il erre un moment au bord de la haie, cherche des fruits oubliés entre les ronces. Chaque pas lui demande plus d'effort. Il continue pourtant jusqu'au mur de brume, comme s'il voulait se cacher. Toute fin est une défaite.

Il a dû perdre beaucoup de sang. Il s'assoit, essoufflé d'avoir marché pendant quelques minutes près d'un chemin creux. Avant, Huro ne se déplaçait pas au hasard : en automne, il allait au pays des châtaignes et des noix. Ces fruits durs, sucrés, le comblaient de satisfaction. Au printemps, il calmait sa faim dans les champs de seigle et de sarrasin en herbe. C'était ça, la vraie vie de sanglier, la fuite apparemment désordonnée qui conduisait toujours vers le sac d'un potager, d'un carré de pommes de terre ou de maïs. En hiver, il trouvait des vallées sans gel où son groin puissant déterrait des racines tendres, des insectes, et parfois, une nichée de levrauts. Huro n'a pas le goût de la chair, il préfère, au contraire, les fruits juteux et sucrés, les épis de blé aux grains encore mous, toutes sortes de plantes sauvages, mais en hiver, la viande chaude, encore pleine de vie, décuple ses forces.

Sa blessure le contraint à rebrousser chemin. Il espérait s'échapper par un sentier qu'il connaît entre les rochers, mais le raidillon l'arrête. Au risque de se faire surprendre, il marche sur le chemin lisse des hommes, traverse lentement l'immense plaine aussi vide que le ciel. Le voilà face au mur de sa faiblesse qui bloque sa cervelle et l'empêche de se décider. Des aiguilles de froid se plantent au plus profond de son cœur. Huro comprend qu'il doit fuir, même si cela avive sa douleur. Derrière le gribouillis des noyers, apparaît la masse sombre d'une ferme. Tout à coup, il dresse les oreilles, se tapit sur le sol.

« Petit papa Noël, je t'en supplie, je ne veux rien pour moi, mais fais qu'on ne nous prenne pas notre maison ! »

C'est un petit d'homme qui passe, les mains dans les poches. Huro s'est dissimulé sous les aubépines. Un long frémissement le parcourt au creux du dos. Ce serait un agneau, un chevreuil, n'importe quel autre animal, Huro n'hésiterait pas. Il bondirait sur lui, le terrasserait de son restant de force. La chair pleine de sang chaud le sauverait, mais c'est un petit d'homme, et son instinct interdit la moindre attaque. L'enfant passe à quelques pas sans le voir. Sa voix fluette traverse le crachin gelé.

« Je ne veux pas qu'on prenne ma maison ! dit-il en sanglotant en face d'un arbre nu qui ressemble vaguement à une silhouette de vieille femme. Qu'est-ce qu'on va devenir ? »

La bâtisse n'est pas loin. Huro la devine dans la brume, une ferme aux murs épais. Une lampe brille à une fenêtre et s'étale sur le toit d'une voiture noire. La brise lui apporte l'alléchante odeur de légumes cuisant sous un petit hangar d'où s'échappe une fumée bleue qui sent la suie et le bois humide. De l'étable voisine provient aussi l'odeur d'un porc, une de ces bêtes blanches qui lui ressemblent, empâtées par la bonne nourriture et la vie douillette en cage… Huro se souvient de la pâtée que les hommes préparent. Il l'a goûtée une nuit tandis qu'il traversait une cour. C'était meilleur que toutes les plantes sauvages du monde…

La nuit épaissit le brouillard. Le grésil tombe toujours, blanchissant légèrement la terre dure. L'enfant est entré dans la maison. Huro tente de se mettre sur ses pattes. Le froid durcit son flanc blessé. À la faveur de l'obscurité, il peut cependant se traîner jusqu'au hangar.

Un chien l'a flairé et aboie. Une patte griffue racle la porte par l'intérieur. Des voix d'hommes se mêlent aux jappements de la bête. La porte s'ouvre, libérant une lumière semblable à celle de la lune, en été, aussi jaune, aussi crue, qui fait mal aux yeux. Huro s'est laissé tomber en contrebas du talus. Le chien se précipite sur lui ; Huro lui fait face, son immense gueule ouverte. Le chien comprend la menace et recule.

La porte de la maison s'ouvre de nouveau. Deux hommes sortent :

« Qu'est-ce que c'est ? demande l'un.

– Certainement un renard qui sera venu rôder autour du poulailler ! dit l'autre.

– Faisons quelques pas, Maurice, nous serons plus tranquilles pour parler. Il vous reste huit jours pour payer, ou vous déguerpissez. Demain, l'huissier viendra vous voir à la première heure.

– Écoutez, Monsieur Jicquet, vous n'avez pas besoin de cet argent tout de suite, alors, laissez-moi une autre chance ! Jusqu'au mois de mars…

– Pas question ! Nous voulons l'argent ou nous prenons la ferme. Nous avons déjà beaucoup attendu ! Moi aussi, j'ai des comptes à rendre. L'ordre de ma société est ferme : plus d'arrangements à l'amiable ! »

L'homme qui a parlé est rond, avec un visage large et gras. Plié dans son manteau, il souffle comme s'il avait couru. Maurice marche à côté, les mains au fond des poches de sa veste. Il claque des dents, mais ce n'est pas seulement de froid.

« L'huissier, Monsieur Jicquet, peut me prendre ma maison, cette ferme où je suis né, où est né mon petit Paul ! Vous n'avez donc pas de cœur dans votre banque.

– Je ne suis pas payé pour avoir du cœur, je suis payé pour faire rentrer l'argent qui tarde. Lorsque je vous ai consenti le prêt, vous avez signé l'hypothèque. Vous n'êtes déjà plus chez vous !

– Vous croyez que c'est de ma faute si cette année les affaires n'ont pas marché ? Et puis, je n'ai pas eu de chance : cinq vaches ont avorté ; le blé de la Plaine a brumé et les maïs ont manqué d'eau…

– Cinq avortements, Maurice, ce n'est pas un manque de chance, c'est de la négligence. Et vous savez que le blé brume chaque année à la Plaine. Il fallait le semer ailleurs. Vous voyez bien que vous n'êtes pas fait pour ce métier. »

Maurice a un grand mouvement des bras. Les deux hommes ont marché jusqu'à l'étable et font demi-tour.

« C'est que... J'ai eu des soucis, voilà la vérité ! »

Le gros homme se racle la gorge. Sa voix monocorde, impersonnelle, est pleine d'assurance :

« Des soucis, Maurice ? Je sais tout, même que la belle Madeleine Loriot n'y est pas étrangère. »

Maurice passe devant le gros homme et l'arrête. Son regard brille d'une lumière froide et tranchante.

« Vous m'avez donc fait suivre, Monsieur Jicquet ? S'il vous plaît, ne parlez pas de ça ici. Je vous en supplie, ma femme ne doit rien savoir ! Vous prenez ma maison, laissez-moi au moins ma famille ! »

– Dans notre société, nous sommes prudents et savons tout de nos clients ! dit le gros homme, la voix calme. Vous pensez bien que je ne dirai rien. Je sais à quel point nous sommes tous faibles, mais il faut payer. Le crédit que ma société vous a accordé est trop lourd pour accepter de différer de nouveau. C'est que vous nous coûtez cher… L'argent se trouve ! Votre oncle de Saint-Chamas n'en manque pas et ne demande qu'à vous rendre service.

– Vous savez bien que je ne m'entends pas avec lui. Et puis…

– Et puis rien, Maurice. L'argent qui devait rembourser vos traites, vous l'avez dépensé pour cette femme. Ce n'est pas sérieux ! On ne peut pas être partout à la fois. »

Un silence redonne à la nuit toute sa profondeur. Huro n'a toujours pas bougé. Le bois de sa blessure se fend à chaque respiration.

« Monsieur Jicquet, vous ignorez ce qu'est ce feu brutal qui vous remplit le corps tout entier. Cette flambée qui vous empêche d'avancer et de penser à autre chose qu'à une femme, cette douleur violente qui habite votre esprit. Si cela ne vous est jamais arrivé, c'est que vous n'êtes pas vivant !

– C'est bien ce que je pensais, Maurice, vous n'auriez jamais dû quitter l'enseignement pour reprendre la ferme de votre père. Vous êtes un poète ! »

Les deux hommes entrent dans la maison. La porte s'ouvre de nouveau et une femme, la tête entourée d'un châle, sort. Elle porte un seau d'où s'échappe une odeur veloutée qui fait saliver Huro. Un verrou grince ; le cochon se met à sucer bruyamment la pâtée de légumes et de blé qu'on lui verse.

La femme s'arrête un moment, regarde sur l'horizon quelque vague lueur. Huro est si près d'elle qu'il voit son visage clair dans la nuit. Il voit aussi des larmes qui roulent sur les joues et accrochent une pépite de lumière chancelante. Elle se mouche, s'essuie les yeux et revient vers la maison.

La femme, dans son désarroi, a oublié de fermer la porte. Huro n'hésite pas ; tant pis si un second coup de fusil le cloue au sol ! La volupté d'un bon repas vaut toutes les douleurs de la terre. Il se traîne jusqu'à l'étable. Le cochon grogne, inquiété par ce frère des bois sorti de la nuit, se tasse prudemment contre le mur. Dans la maison, le chien aboie toujours. Huro s'en moque : il mange. La douceur du lait chaud progresse lentement jusqu'à ses membres lourds et redonne vie à son flanc.

Les deux hommes sont de nouveau sortis. Ils préfèrent la discrétion de cette nuit d'hiver pour régler leurs affaires à la douce tiédeur de la grande cuisine où flambe une cheminée. Maurice porte une lampe électrique qui jette une flaque de lumière sur le sol scintillant de gel. Le chien se précipite vers l'étable du cochon. Maurice aperçoit la porte ouverte.

« Bien sûr, Pauline a oublié de fermer l'étable ! dit Maurice. Faut toujours passer derrière elle. »

Le halo de lumière se déplace et la porte se ferme en grinçant.

Comprenant qu'il est prisonnier, Huro s'affole. Il arrache une balustrade d'un puissant coup de groin, renverse le baquet, déterre des pavés. Dans son coin, le porc ne bouge pas, terrifié par cette force sauvage qui se déchaîne.

Les voix des hommes percent de nouveau la nuit. Huro lève la tête. Un long frémissement gèle son dos.

« Je ne sais pas ce qu'a ce chien à tant grogner. Faut aller voir ! dit Maurice.

– Eh bien, allons-y ! Je ne serais pas étonné que le renard soit au milieu de vos poules, Maurice ! Là non plus, ce n'est pas de la malchance, c'est que vous avez négligé de réparer le grillage. »

De nouveau le verrou grince et la porte s'ouvre, découvrant un peu de nuit. La lampe danse sur le gazon scintillant, fouille l'étable, s'arrête sur le sanglier qui pousse un formidable grognement, démesuré dans cette bâtisse étroite.

« Nom de Dieu… Comment… »

La bonne pâtée a redonné des forces à Huro. Acculé, il n'a peur de rien, et cet instinct qui, d'ordinaire, lui interdit d'attaquer les hommes s'est effacé au profit de sa seule chance de survie. Il fonce vers la porte, la gueule ouverte, menaçant. La lampe vacille. Maurice a le temps de se pousser sur le côté.

M. Jicquet est devant l'animal, masse sombre qui lui barre la route. Huro fonce, ses défenses se plantent dans la chair, la déchirent. L'homme crie sa peur et s'effondre. Maurice se précipite vers le banquier qui gémit, étendu sur le sol gelé. Ses vêtements sont déchirés et du haut de sa cuisse coule un bouillon de sang chaud.

« Vite, il faut appeler les pompiers. »

Il court à la maison, laissant l'homme qui pousse des gémissements de bête agonisante.

Quelques minutes plus tard, un camion rouge arrive. Le feu clignotant sur le toit palpite dans la nuit comme un cœur à nu. Les pompiers examinent le blessé, le chargent délicatement sur une civière.

« C'est grave ! dit l'un d'eux à Maurice.

– Va falloir faire une battue ! dit un autre. Un sanglier blessé est un animal très dangereux. »

Le camion s'en va à toute vitesse. Maurice ferme la porte de l'étable où le porc, tremblant, n'a pas bougé. Pauline est près de lui. Ils restent un moment silencieux.

« Quelle histoire ! dit enfin Maurice. Mais quelle histoire ! Vas-tu me dire ce qu'il faisait là, ce sanglier ?

– Il a fallu que ça tombe sur cet infect Jicquet ! reprend Pauline. J'espère que ça ne va pas nous attirer des ennuis supplémentaires ! »

77

Après un silence, Maurice dit :

« Je l'espère aussi. »

Le lendemain matin, une voiture noire se gare à la place exacte où était celle de M. Jicquet. L'homme qui en sort est vêtu d'un costume sombre et porte des lunettes aux verres épais. Il frappe à la porte d'entrée, attend que Maurice vienne ouvrir. Il se présente, Oscar Lemoine, huissier de justice. Il donne lecture du jugement qu'il doit faire appliquer : Maurice Legal dispose de huit jours pour quitter cette maison dont la banque Dunoyer est propriétaire par décision du tribunal. À la date indiquée, les scellés seront apposés sur les ouvertures.

Quand il a fini de lire son document, l'huissier demande à Maurice de signer. Il range les feuilles dans son cartable en cuir de crocodile et s'en va. Sa visite n'a pas duré une demi-heure. Maurice est abattu. Il regarde, hébété, autour de lui, les murs, les étagères, les bibelots, les casseroles de cuivre pendues au mur, la photo de son grand-père ; il regarde le feu qu'il vient d'allumer, les flammes qui lèchent la suie et le chaudron, ce couloir qui conduit à sa chambre à coucher et à la chambre de son petit garçon, Paul. Son petit garçon qui va aller vivre ailleurs, dans une ville… Et lui, Maurice, que va-t-il devenir, loin de ces vieux murs ? C'est pour eux, pour vivre dans le prolongement de son enfance, qu'il a abandonné son premier métier de professeur. Il pense à la belle Madeleine Loriot. Comment a-t-il pu se laisser aveugler au point de détourner des sommes destinées à ses affaires ? Les yeux profonds et doux de cette femme, son sourire, son corps qu'elle savait si bien refuser, avaient allumé dans sa poitrine un feu de paille si brûlant qu'il en avait perdu la raison...

Les gendarmes arrivent dans la matinée pour l'enquête. Maurice leur explique ce qui s'est passé. Déjà quelques chasseurs se sont rassemblés au croisement. Le fusil à l'épaule, ils rient, heureux de cette journée de traque qui s'annonce.

Huro n'est pas allé très loin. Sa fuite tout en force l'a épuisé. Après avoir échappé aux hommes, il s'est laissé emporter par une pente gelée et s'est glissé sous les branches basses de jeunes sapins. La douleur a repris son infernal martèlement. Il se couche sur les feuilles mortes que le vent a rassemblées en bordure des sapins. Le froid ne traverse pas son épaisse toison de poils. Il somnole. Il sent encore la résistance des vêtements qui ont cédé d'un coup et la chair où ses défenses ont pénétré ; il entend le cri d'effroi de l'homme, la chute de ce corps sur le sol gelé. Est-ce aussi facile de vaincre ce dieu que tous les animaux redoutent ? De s'en défendre ? Désormais, Huro n'hésitera plus. Cet instinct qui le faisait fuir dès qu'il sentait l'odeur de l'irréductible ennemi était un mauvais instinct. L'homme est identique aux chiens braillards qu'un seul coup de boutoir renvoie à plusieurs pas, les tripes fumantes dans la poussière.

Le jour arrive. Un coq a chanté au loin ; des chiens aboient dans une ferme. Huro se dresse sur ses pattes, se secoue. Il va mieux. Son flanc lui fait encore mal, mais il peut marcher. Il s'enfonce dans le sous-bois sombre. Une odeur l'attire. Il ne tarde pas à découvrir un hérisson. Du bout du groin, il pousse la boule hérissée, la retourne, et là, entre les pattes repliées, il appuie sa défense qui pénètre. Le hérisson pousse un cri, veut s'enfuir, mais Huro ne lui en laisse pas le temps. Il mord à pleine incisive dans la chair chaude, déchire l'abdomen, dévore ce corps vivant livré à une douleur infernale qui s'éteint d'un coup, quand les molaires du vieux sanglier brisent la boîte crânienne. Les pattes se détendent, libérées. Huro mastique longuement cette viande encore frémissante. Il brise les petits os entre ses dents et ne laisse que la peau, épaisse et gluante.

Ce modeste repas lui a redonné un peu de force. Pourtant, il est inquiet. Les picotements de son flanc ont gagné sa poitrine et il respire difficilement. Ses jambes sont molles ; il a conscience d'un danger imminent, bien que l'air soit vide d'odeurs et de bruits à part quelques lointains aboiements.

Huro localise les chiens du côté de la ferme. Cette fois, il ne peut pas se tromper, ce sont des chiens qui partent à la chasse : leurs gémissements excités, leurs hurlements d'impatience rappellent bien des souvenirs au vieux solitaire qui sait tout de ces alliés des hommes.

Huro réfléchit. Il se voit d'abord courant jusqu'au lac de Peloux qu'il pourra traverser à la nage pour semer les chiens. Le lac est tout en longueur et avant que la meute ait fait le tour, il aura eu le temps de brouiller les pistes. Mais dans l'eau gelée, son flanc blessé va se réveiller. Pourquoi ne pas se laisser acculer à un taillis et faire face ? Depuis hier, Huro ne craint plus les hommes.

Finalement, il se dirige vers le lac. Sur sa piste, les chiens se rapprochent. Leurs cris aigus percent la nuit et se plantent dans le ciel ouvert sur l'aube qui semble venir du fond de l'univers. Huro s'est mis à courir. Son flanc se déchire à chaque pas. Le sang coule de nouveau. Pourtant, il doit atteindre l'eau avant les chiens. Ses sabots glissent sur le sol dur. Pourvu que le bord du lac ne soit pas pris par la glace !

Ce matin, Maurice se sent étranger dans la ferme où il est né. Le regard de sa femme posé sur lui l'étouffe. Il a envie de crier, de se rebeller, lui, le coupable. L'image de la belle Madeleine Loriot ne le quitte pas. Tout ça pour en arriver à rien, à cette expulsion, cette déchéance, une blessure béante en lui. Il a cru l'incroyable, il a voulu aller jusqu'au bout de ce chemin lumineux dont il ne voyait ni les ombres ni les ornières. Ce chemin qui conduisait à un puits. Pourquoi son cœur s'est-il embrasé si fort qu'il en a oublié sa femme, la douce Pauline, et son fils, le petit Paul qui attend le père Noël ? Il ne pensait qu'à elle, donc à lui.

Les hommes du village sont partis à la chasse avec les gendarmes. Il a refusé de les suivre et personne n'a insisté.

« On ira chez ma mère pendant quelque temps, dit Pauline. Le temps de trouver un logement et du travail. T'en fais pas, on s'en tirera. Paraît qu'ils manquent de professeurs dans l'enseignement privé ! »

Ces paroles d'encouragement le mordent, le lacèrent. Il voudrait s'échapper, se dissoudre dans la nuit et ne plus être qu'un courant d'air. Comment accepter cette bonté, cette indulgence quand sa faiblesse est la cause de tout ? Comme l'araignée, la belle Madeleine attend ses proies et en rejette les coquilles vides quand il n'y a plus rien à prendre. Quand il ne reste que la souffrance du déchu volontaire, du suicidé.

Un sanglier dans la cour

Les chiens qui aboient au loin doivent être sur la trace du solitaire blessé. Maurice part dans la campagne sonore. Ses pas le conduisent par la route au bord du lac. Il fait presque jour ; au ras du sol, une lumière blanchâtre serpente sur la berge. L'eau reste noire et immobile. Les hurlements surexcités se rapprochent. Tout à coup, un bruit de branches brisées le fait sursauter. Il n'a pas le temps de se dissimuler. L'énorme sanglier est devant lui, les flancs battus d'une respiration rapide. L'homme et l'animal se toisent, l'homme sans haine, l'animal prêt à foncer. Mais Huro hésite. Quelque chose d'étrange vient de le retenir. Des hommes, il en a vu beaucoup dans sa vie de fugitif, mais celui-ci semble différent.

Les chiens sont derrière la colline. Ils vont bientôt débouler, tellement excités que les premiers n'hésiteront pas à entrer dans l'eau. Huro soutient pourtant le regard de cet homme. Il n'y voit pas la détresse, cela n'a pas de sens pour lui. Il n'y voit qu'une petite lumière pâlotte, celle des animaux blessés, et cela réveille un pincement aigu au ventre qui lui donne beaucoup de plaisir. Enfin, il passe devant Maurice sans se presser, puis entre dans l'eau. Le froid durcit sa blessure, la mord, met le feu dans sa chair malade. Il nage quelques instants et comprend qu'il ne pourra pas atteindre l'autre rive. Alors ses yeux se portent sur un tertre couvert de ronces grises et de saules nus. Il peut se dissimuler derrière. Le vent est bien placé et n'emportera pas son odeur jusqu'aux chiens. Tout cela, Huro l'a compris en un éclair, mais il y a cet homme, toujours debout, et qui ne le quitte pas des yeux, l'homme que Huro a épargné sans raison. Déjà les chiens passent au sommet de la colline et dévalent la pente. Huro nage vers le tertre et s'y dissimule, le corps dans l'eau glacée, laissant à peine dépasser son groin, derrière les ronces. Son cœur bat si fort qu'il l'entend cogner à ses tempes. Il ne bouge plus.

Les chiens tournent sur la berge, cherchent la trace du blessé. Certains entrent dans l'eau jusqu'au ventre puis font demi-tour. Les chasseurs se rassemblent.

« Bon, il est passé de l'autre côté. C'est pas la peine de se presser, on va faire le tour. La traversée l'aura épuisé. »

Ils aperçoivent Maurice en retrait.

« Vous l'avez vu ? »

Maurice a un geste des bras :

« Quand je suis arrivé, il était au milieu ! Il doit être de l'autre côté depuis longtemps !

– Bon, on y va. »

La troupe, précédée des chiens, s'en va vers le barrage. Quand ils sont loin, que les aboiements sont étouffés par la colline, Huro, le corps dur de froid, mais vivant, sort de l'eau. L'homme est toujours là qui le regarde, cet homme pas comme les autres puisqu'il ne l'a pas trahi. Sur la berge, le solitaire s'arrête de nouveau, puis, d'un pas mal assuré, s'éloigne.

« Joyeux Noël ! » dit Maurice.

Huro a entendu cette voix qu'il ne redoute pas. Dans son errance de saison en saison, il reviendra vers cette ferme, mais Maurice n'y sera plus. Pour lui commence aussi la fuite en avant, le départ vers l'inconnu et les regrets. Pourtant, en voyant le sanglier passer près de lui, l'espoir renaît et les mots de réconfort de Pauline trouvent enfin le chemin de son cœur. Il retourne vers la maison.

Huro s'est arrêté au bord du chemin. Encore une fois l'homme et l'animal se regardent, et Huro ressent cette douleur aiguë au ventre qui lui donne chaud.

C'est peut-être ça que les hommes appellent Noël.

VI

Le renard de la discorde

FURTIF, LE RENARD, se terre au fond de son trou. Au-dessus de lui, des pas martèlent le sol. Des voix d'hommes éclatent comme des coups de tonnerre. Il reconnaît celle du fermier, Étienne Lebrun, et celle du garde-chasse, Jolio Bardini, qui a tué tellement de renards que cette chasse ne l'amuse pas. Jolio est grand et fort. Des yeux d'un bleu transparent. Toujours vêtu de kaki, comme un soldat américain, il parcourt à longueur de journée l'immense domaine de M. Leroy, et gare à qui s'y aventure sans permission ! Jolio a la voix assurée de ceux qui sont du côté du plus fort, de la loi. Il marche la tête haute, les mains sur les hanches, conquérant, sûr de lui. Destructeur de vipères en été, de renards en hiver et de buses au printemps, il se prend pour le grand nettoyeur de la forêt. Les amis de M. Leroy, qui viennent chasser, veulent la place propre.

En ce moment, il regarde Étienne, son visage mince de fouine, ses petits yeux perçants. La ferme d'Étienne touche les terres de l'immense domaine, une enclave que M. Leroy voudrait acheter, mais le paysan – qu'on appelle aussi l'Anarchiste, parce qu'il parle beaucoup quand il a bu – ne veut pas vendre. Il tient tête, et M. Leroy a beau tapoter sur la table du bout de ses doigts fins en guise d'agacement, rien n'y fait. Même pas l'argent, que ce modeste agriculteur méprise.

Toute sa vie, Jolio a tenté de prendre Étienne en flagrant délit de braconnage sur les terres de M. Leroy, et toute sa vie, Étienne a multiplié les provocations ; un jeu de renard. Jolio pense : « Tu crois que j'abandonne parce que je te fais bonne mine ! Je t'étendrai raide d'un coup de fusil comme un chien, sans le moindre regret. » Un léger sourire déride son visage froid. Il dit :

« On le tient ! Sale bête ! Qu'est-ce qu'on a pu courir avec ces chiens sans flair ! »

Étienne pioche. Ici, il est chez lui, sur sa terre, à quelques mètres de la propriété de M. Leroy. Il pense, lui aussi, et ses yeux brillent de malice : « Tu crois que je vais me laisser prendre à ton jeu ? Je te connais depuis trop longtemps ! Je te vois venir avec tes gros sabots ! »

Des coups sourds retentissent sur le sol. Furtif tremble. Comment a-t-il pu se laisser surprendre dans ce piège sans issue ? Un renard de cinq ans a pourtant suffisamment de tours dans son sac pour semer des chiens de ferme. Pourquoi n'a-t-il pas obliqué vers le taillis où il aurait pu ramper sans bruit entre les ronces ? Il a hésité, voilà sa faute. Hésité en pensant au fusil des hommes. Tout se retrouve quand on est renard, qu'on passe les trois quarts de son temps à fuir. Et, le moment venu, on n'y peut rien.

Dire qu'il a une tanière, une grande tanière creusée entre les racines d'une souche avec de nombreuses galeries et des sorties dissimulées sous les ronciers ! Tout au fond, sur la terre douce, il a aménagé son nid d'herbes sèches. C'est bon d'y digérer les yeux mi-clos et d'y dormir en sécurité. C'est bon, en sortant le soir, de regarder les châtaigniers immobiles, vieux comme cent renards…

Cinq ans. Voilà cinq ans qu'il mène sa vie de bons et mauvais jours. Cinq saisons de branches nues et de neige. Il les voit défiler devant lui avec leurs joies, leurs faims et leurs festins, leurs chasses glorieuses et les courses bredouilles sous la pluie battante.

Jolio, le fusil pointé vers le terrier, attend, paisible, la sortie de la bête pour la fusiller à bout portant d'une balle dans la tête. À moins qu'il ne tire dans les pattes arrière pour l'immobiliser et l'achever à coups de pioche ! Ça lui plairait assez ! Le renard, c'est l'ennemi. Il faut lui faire payer ses rapines. Une mort rapide est trop douce. Le garde lève la tête vers Étienne. Son visage s'éclaire, il dit :

« Tu te rappelles, au bistrot Vacher, il y a bien dix ans, on était encore jeunes. Tu m'as défié au bras de fer et je t'en ai passé une bien belle ! »

Étienne se moque :

« Tu m'as eu au bras de fer parce que tu te tenais sous la table avec l'autre main. Tout le monde t'a vu. La preuve ? Je t'ai battu le coup suivant ! »

Furtif halète. Il ne fait pourtant pas chaud dans ce boyau de terre. L'odeur de l'homme mêlée à celle de l'humus picote ses narines. Un tremblement de répulsion parcourt son pelage. Il connaît Étienne depuis longtemps. Combien de fois est-il resté derrière la haie à le regarder ? L'envie de s'approcher de lui, de marcher dans ses pas, l'a souvent tenté. Étienne est comme lui, un animal de la nuit. Furtif l'a vu casser le dos aux lapins d'un coup de genou rapide. Il l'a vu étouffer les jeunes perdrix. Mais il n'a jamais pu s'approcher : le chien est là, la truffe au vent, l'oreille aux aguets, prêt à sauter sur ce frère des bois.

Les coups sourds ébranlent la terre qui coule sur le pelage du renard. Son cœur bat très fort. Il a peur, une peur qu'il ne contient pas, qui déborde son cerveau d'animal sauvage et ramollit ses muscles. L'inconnue, cette chose d'ombre qui n'a pas de nom, que l'instinct fait fuir et redouter, se tient là, au bout de cette pioche qui continue sa progression, et dehors, près de ces hommes qui l'attendent.

Il a eu cinq ans de belle vie. Jusque-là, la chance a été de son côté. Renardeau de quelques mois, il apprit bien vite à se méfier de ces étranges animaux à deux pattes. Les hommes avaient répandu dans les terriers une épaisse fumée brûlante. Ses frères s'étaient précipités vers la sortie où le fusil les clouait au sol. Furtif fut sauvé par sa mère. Elle le prit dans sa gueule et l'emporta jusqu'à une lointaine sortie. Là, il resta de longues heures étendu sur la mousse, pantelant, les yeux brûlés, les poumons déchirés. Un peu plus tard, sa mère partit à la chasse et ne revint pas : quand on est renard, on ne revient pas toujours de la chasse.

Furtif dut se débrouiller seul. Depuis, il a gardé le goût de la solitude. S'il recherche les femelles au printemps, c'est que leur odeur dans le vent réveille le feu de son ventre. Cela dure quelques jours pendant lesquels Furtif oublie la faim et la fatigue. Puis le feu s'éteint et il retrouve ses sentiers, ses sous-bois, ses poulaillers convoités. Souvent, quand nul danger ne le menace, il regarde vivre son royaume,

le nez hors de sa tanière ; ses fougères, qui renaissent à chaque printemps, sortent de la mousse comme
des pattes tendues, et se replient à l'automne pour
mourir au lendemain de la première gelée.

Les coups de pioche se rapprochent. Le bruit
du métal sur les graviers devient sec et mordant. Un
pan de la galerie s'éboule. La terre brune coule sur
l'animal, le couvre lentement.

Pourtant, l'espoir de s'échapper ne l'a pas
quitté. Furtif sait ce qu'est la douleur et il ne la
redoute pas. Là, en ne bougeant pas, couvert de
terre, les hommes ne le verront pas… Il enfonce
son museau sous ses pattes… Il respire à peine pour
ne pas déplacer les grumeaux d'humus sur ses flancs,
et supporte sans y penser le tortillon de douleur qui
se promène dans sa cuisse. Pour ne pas trembler, il
s'imagine en train de courser un lapin dans la lumière
resplendissante du matin.

L'an passé, poussé par la faim, Furtif s'est
aventuré dans un poulailler. Ce fut un terrible hiver.
Il avait dû, la veille, disputer une charogne à un
blaireau et suivre la piste des mulots dans la haie…
Le poulailler était bien garni : des poulardes dodues
et tendres, des poulets de l'année, la plume encore
molle. Furtif s'était donné à l'ivresse d'un bon repas.
Un moment d'égarement en pleine disette. Quand il
était sorti, un homme pointait son fusil vers lui. Le

tonnerre gronda et le mordit à la cuisse. Depuis, il a ce tortillon de douleur. C'est à cause de lui qu'il n'a pas couru dans le bois, tout à l'heure, qu'il s'est caché au plus vite. Tout se paie, surtout la chance passée.

La pioche poursuit son travail d'inquisition. Étienne sait qu'il n'est pas loin du renard et ne se presse pas. Jolio attend. Les deux hommes se taisent depuis un long moment, mais ils pensent à la même chose et la tension devient si forte entre eux que Jolio ne peut s'empêcher de dire :

« Et le concours de tir ? Premier que j'étais, et toi deuxième. On était loin devant les autres !

– J'étais deuxième parce que tu m'as ébloui pendant que je visais. Sinon je t'aurais battu ! »

La pioche s'est arrêtée. Étienne s'essuie le front. C'est un homme de petite taille, aux cheveux noirs, aux jambes courtes, tout en torse. Il soutient le regard du garde-chasse qui finit par dire :

« Je t'ai pas ébloui puisque j'étais à l'ombre dans les tribunes. Et l'essieu, chez Gustave, qui l'a soulevé à bout de bras ?

– J'avais un tour de rein…

– Et à la lutte, l'hiver où il a tant plu. Qui a gagné ? »

Les deux hommes se toisent. C'est ainsi entre eux, depuis toujours. Enfants, ils étaient déjà rivaux.

Ils s'épient, et ne ratent jamais l'occasion de se mesurer l'un à l'autre. De tels sentiments n'existent pas chez les animaux. L'amour comme la haine n'ont pas de sens pour Furtif. Il se bat contre les rivaux pour défendre son territoire, mais ces luttes à coups de dents n'ont pas la virulence des affrontements humains où les mots véhiculent le venin.

« D'abord ce renard ! dit Jolio. Le reste viendra par la suite. »

Le temps se dégage. C'est une de ces soirées d'automne où l'on se croirait encore en été. Une multitude de moustiques poursuivent dans l'air limpide leur vol d'étincelle. Le regard de Jolio devient plus perçant et prend la couleur du ciel, un bleu clair qui se dissout en vert. Il le plante dans celui d'Étienne :

« Et Géraldine ? »

Ils n'en ont pas parlé une fois en cinq ans, alors pourquoi ce soir ? La présence du renard, et ce rêve curieux de Jolio, la nuit dernière, y sont pour quelque chose. Un rêve plein de lumière où Géraldine revenait au pays. Elle n'était plus morte ; Jolio sent encore sur sa peau la douceur de ses doigts. Pourtant, sans ces moustiques, cette terre fraîche et douce au toucher, sans ce soleil pendu au-dessus de l'horizon, il n'aurait pas osé. Maintenant que la vanne est ouverte, il vide son cœur :

« Si on en parlait un peu…

– Parlons-en. Tu lui as prêté de l'argent et quand tu as compris qu'elle te céderait pas, tu as réclamé ton dû… »

La pioche se lève, reste suspendue au-dessus de la tête de Jolio. Les yeux noirs d'Étienne ont une lumière froide. Les doigts de Jolio se crispent sur le fusil :

« Je pourrais t'abattre comme ce renard, Étienne. Et tout le monde croirait à un accident de chasse ! Avec M. Leroy, ce serait chose facile.

– Qu'est-ce que tu attends ? »

La pioche tombe de nouveau dans la saignée d'argile rouge, rencontre une racine qu'elle coupe d'un coup précis. Des cailloux roulent de la voûte. Furtif est écrasé du poids de la terre. Il ne bouge toujours pas. Pour le plaisir de gambader dans la bruyère, pour la joie de glisser sans bruit derrière une haie, de surprendre le faisan au nid, il aurait la force de rester là deux siècles… Le fer tranchant fouille les gravats autour de lui, patient, obstiné. Furtif pense à la lune, la grosse lune qui monte parfois dans le ciel et réveille un hibou quelque part dans la vallée. Il pense aussi à la petite rivière qui coule au fond de son bois, entre ses deux lèvres de mousse où il aime laper l'eau lumineuse lorsque le soleil sort de la forêt et donne aux arbres de longues ombres étroites.

Il aime surtout l'été, la reine des saisons, avec ses nuits chaudes et calmes. Furtif se régale de sauterelles capturées dans la prairie rasée où l'humidité sent le foin. Et l'automne, le bel automne triste, sa lumière jaune étalée sur le flanc des collines... Le temps des folles randonnées sans but dans des campagnes inconnues, près des fermes isolées. Les basses-cours sont peuplées de poules, de poussins jaunes que Furtif gobe un à un avant d'emporter la mère dans son terrier... Cinq ans, c'est long de bons souvenirs quand on est renard.

Le fusil s'est de nouveau pointé vers le sol. Étienne et Jolio revoient cette femme blonde venue de Paris avec son jeune garçon asthmatique. Elle avait loué un appartement au village et survivait en faisant des ménages dans les maisons riches de la colline. « Une femme méritante ! » avait dit M. Leroy, qui la faisait travailler. Elle était arrivée pour oublier, pour fuir un passé qui la torturait encore. Le calme, la quiétude, un regard amical et complice auraient pu lui apporter la paix du cœur. Pour son malheur, elle avait croisé celui de Jolio. L'homme solitaire qui passait ses journées dans la forêt avait une bonne odeur de mousse, de sous-bois, de liberté. Géraldine était si fatiguée qu'elle avait envie d'une épaule solide pour y poser sa tête lourde de souvenirs...

Chaque matin, elle allait aussi à la ferme d'Étienne, chercher du lait frais pour son petit garçon. Son regard s'était arrêté sur les yeux de braise du braconnier. Étienne était l'inverse de Jolio. L'homme de la nuit, le poseur de collets, le traqueur de truites, lui avait parlé de ses rapines et elle avait aimé ses colères. Son passé sordide la hantait toujours, mais ici, elle se sentait arrivée en un de ces lieux qu'elle semblait reconnaître, comme le lointain souvenir d'une autre vie qui fut heureuse.

La pioche se plante dans la cuisse de Furtif, déchire les chairs puis repart. Une douleur puissante envahit la tête du renard. Pour ne pas bouger, pour supporter ce terrible cisaillement, il entrouvre ses mâchoires et prend un caillou entre ses dents. Il se force à revoir ce gros coq qui fanfaronnait sur un tas de fumier et qu'il a emporté au nez du paysan. Les jours suivants, les battues se multiplièrent ; les hommes et les chiens parcoururent les bois. Beaucoup de renards payèrent le vol du coq. Pas lui.

L'été, quand Furtif, l'estomac plein, sent la vie couler dans son corps en un frémissement de bien-être, il monte au sommet de la colline où se trouve de l'herbe douce et fraîche. Il s'y roule comme un chat. Quelquefois, il danse sous la lune, pareil à un démon, cabriole, mord l'air de ses dents brillantes. Ou bien, il se plante sur le derrière, semblable à ses frères apprivoisés, les chiens, et jappe aux étoiles de sa petite voix flûtée et plaintive.

Le fer tranche de nouveau la cuisse, mord les muscles vivants, broie les os mis à nu. Entre les dents de Furtif, le caillou se brise. L'outil démentiel s'arrache puis retombe à la même place, plus lourd encore. Furtif, les yeux fermés, s'accroche à l'image floue du nid de terre chaude et douce au fond de son terrier.

La chose redoutée avec sa nuit, son néant répandu, la chose qu'aucun animal ne connaît, mais que l'instinct force à fuir, se rapproche de lui. Il sent ses volutes noires, ses tentacules qui, déjà, serpentent sur son poil. Mais il ne bouge pas. Pourquoi ne suivrait-il pas de nouveau le chemin humide près du village pour guetter les poules égarées ? La pioche est partie. L'odeur âcre des hommes est encore présente, mais elle s'estompe aussi, mêlée de vent... Encore quelques instants de patience et il pourra bouger. Il va regagner son terrier et rester couché sur les herbes sèches pendant quelques jours, le temps que sa jambe se répare. Il supportera la faim et la fièvre : tout se supporte pour vivre. D'ailleurs, sa cuisse ne lui fait plus mal. Quelque chose de mouillé s'infiltre dans son pelage. C'est chaud et doux, c'est bon.

Les hommes se défient. Étienne pose la pioche, s'approche de Jolio qui tient toujours son fusil.

« Géraldine ne voulait pas de toi, elle me l'avait dit. Elle ne t'a pas cédé, c'est sûr ! »

Jolio dresse de nouveau son arme et dit d'une voix haineuse :

« Tu la poursuivais tout le temps, tu la harcelais ! Elle n'avait que faire d'un nabot ! Il lui fallait un homme, un vrai, pour oublier le passé. »

Jolio, pas plus qu'Étienne, n'avait compris ce que Géraldine avait dans la tête. Une soif, une fringale d'amour. Ils ne pensaient qu'à eux, à prendre à cette femme qui avait déjà trop donné et si peu reçu. Jolio lui faisait parcourir les chemins de l'immense domaine de M. Leroy. Il lui montrait son habileté au fusil, sa manière de tuer la buse en vol ; il lui parlait de ce méprisable Étienne qui lui apprenait à disposer un collet à lapin et l'emmenait parfois sur les mêmes chemins que Jolio. Et Géraldine, qui avait surtout besoin d'être écoutée, découvrait chaque jour un peu plus que ces deux hommes ne s'étaient jamais préoccupés que d'eux-mêmes. Elle comprit alors qu'elle n'était pas arrivée au terme de son voyage. La fatigue qui s'empara de son esprit était celle de toute une vie.

« Tu te rappelles la robe rouge qu'elle avait achetée pour venir avec moi à la fête de la Saint-Jean ?

– Et ce chemisier couleur de rose qui sentait le lilas et le trèfle neuf qu'elle avait brodé pour le bal de Puisalet ? C'était pour moi. »

La pioche reprend son martèlement infernal et taillade le dos du renard. Furtif ne le sent pas. La douleur est sortie de son corps avec ce liquide sirupeux qui colle ses poils et se mélange à la terre. Furtif flotte comme flotte dans l'air du soir son voisin, le hibou. Il glisse sur une pente de vent vers un pays sans hommes, sans ennemis.

Il a bougé malgré lui. Jolio crie sa joie, mais Furtif ne l'entend pas. Il sait vaguement que la chose aux tentacules a gagné. Au fond, puisqu'il est aussi facile de lui céder, pourquoi avoir tant lutté ?

La pioche l'arrache de la terre. Le jour brutal éclate dans sa tête. Près de lui, Jolio lève tranquillement son fusil. Furtif n'y prête aucune attention. Il pense à ses renardeaux qui ont faim.

« Géraldine, c'est simple, tu l'as tuée, comme tu vas tuer ce renard ! »

Jolio sursaute. Le fusil quitte la tête de Furtif pour se braquer sur celle de l'homme.

« Tu redis ça et tu y passes ! »

Un silence. Furtif a vu le monticule hérissé d'ajoncs derrière lequel il pourrait se cacher s'il avait le temps de fuir, mais il hésite, sa cuisse blessée a le poids d'un rocher et le retient cloué au sol. Pourtant, la chose noire s'éloigne de lui. Les mâchoires serrées à se casser les dents, Furtif réussit à se traîner derrière le monticule.

« Répète que je l'ai tuée ? Tu sais comment elle est morte. J'y suis pour rien. Qui était avec elle le dernier soir ? Qui, tu me réponds ? »

Étienne baisse la tête. Les deux hommes se sont éloignés du terrier. Le canon du fusil s'est dirigé de nouveau vers le sol.

« Voilà, dit Étienne après un gros soupir, j'étais avec elle. Elle m'a parlé de toi, de ta force, de ta droiture, de ta volonté. J'ai pas supporté d'aussi grosses bêtises. Je lui ai dit que je te tromperai autant que je pourrai, que j'irai voler les lièvres et les lapins de ce fumier de Leroy toute ma vie pour te faire dépit, que je te couillonnerai parce que je suis plus malin que toi ! Elle s'est mise à pleurer. Elle m'a demandé si j'avais lu un truc, une histoire de roi qui s'ennuyait. Est-ce que je vais lire des livres pareils ? Je lui ai demandé qui était ce Giono. Elle m'a répondu que cela n'avait pas d'importance. Elle est partie seule dans cette nuit curieuse parce qu'il y avait une mousse de brume blanche dans l'ombre. Voilà la vérité. »

À son tour, Jolio baisse la tête, tournée vers ce passé qui le hante. Furtif halète. Les hommes peuvent le retrouver s'ils veulent, mais ils s'éloignent encore. Le chien d'Étienne, le seul que Furtif redoute parce qu'il connaît tous les chemins secrets de la forêt, n'est pas là. Le renard se prend

101

à espérer si fort que son cœur s'est calmé et bat régulièrement.

« Écoute, dit Jolio, le matin, Géraldine est venue
me voir. Elle m'a tendu les bras. Je ne savais pas ce
qu'elle voulait. J'étais en train de préparer la chasse
des amis de M. Leroy. Alors, je pensais à autre chose
et je l'ai pas écoutée. Elle a parlé comme ça pendant
un long moment. Un nom de ville revenait souvent,
puis celui d'un homme. Je crois que c'était le père de
son garçon qui l'avait abandonnée en lui arrachant le
cœur. Moi, je faisais mes cartouches, alors les histoires
de bonne femme… Je lui ai dit que c'était du passé et
que ça m'intéressait pas. Et puis je lui ai demandé mon
argent parce que j'avais comme l'impression que
c'était la dernière fois que je la voyais… »

Étienne et Jolio se regardent. Le soleil joue à
travers un ramassis de nuages rouges, à promener
des flaques de lumière sur les collines.

« Zut, le renard !

– Je le retrouverai ! fait Jolio.

– Moi, quand elle m'a parlé de ce roi, j'ai bien
compris qu'on n'était pas de la même boutique. Mais
tu comprends, j'étais en train de préparer mes collets pour la nuit. Toi, tu peux pas comprendre combien
c'est le début du monde de préparer ses collets ! Je
lui ai dit que ses histoires ne m'intéressaient pas,
qu'on n'en parlait pas au pays. »

Les deux hommes se font face. Jolio plonge son regard bleu dans le regard noir d'Étienne qui ne baisse pas la tête, l'un énorme, puissant, l'autre petit, mais vif, ardent, un loup et un renard. Le soleil couchant continue son jeu d'ombres et de lumières.

Étienne revient à la charge :

« Jolio, je suis sûr que c'est toi qui l'as poussée dans la mare où on l'a retrouvée le matin. Parce qu'elle voulait pas te céder ! »

Le garde se dresse vivement. Ses larges mains se crispent sur son fusil.

« La dernière fois que je l'ai vue, c'était le soir. Et qui se promenait dans la forêt du côté de la mare ? C'est toi qui l'as poussée, voilà la vérité !

– Répète ! crie Étienne.

– Je le répète si je veux. Moi, elle m'a aussi dit qu'elle nous aimait tous les deux parce qu'on se ressemblait, même si ça se voyait pas. Et je lui ai dit qu'il n'y avait pas de place pour nous deux dans un même cœur.

– Et tu l'as noyée comme une chienne galeuse ! »

Jolio se précipite sur Étienne, le terrasse de son poids. Les deux hommes roulent dans la pente vers le monticule derrière lequel se cache Furtif. Le fusil est tombé avec un bruit métallique. Malgré la douleur de sa cuisse déchirée, le renard réussit à se

103

mettre sur ses pattes et s'éloigne dans un sentier en direction de sa tanière.

La nuit tombe. Étienne et Jolio échangent des coups. Étienne profite de son agilité de chat, Jolio de sa force de lion. La lutte dure jusqu'à ce que, hors d'haleine, ils s'arrêtent, pantelants. Jolio saigne d'une lèvre, Étienne a une pommette déchirée.

« Quand on l'a trouvée morte, le matin, dit Étienne, j'avais une pierre dans l'estomac. J'avais envie de te tuer. »

Jolio ne répond pas. Il essuie le sang qui coule sur son menton carré et tapote sa lèvre gonflée avec un mouchoir roulé en boule. La nuit réveille une multitude de bruits dans le sous-bois. Les deux hommes restent un long moment sans bouger, à revoir Géraldine écrasée par son désespoir qu'ils n'ont pas su écouter.

« Il faut que je rentre. M. Leroy m'attend, mais t'en fais pas, on se retrouvera !

– Quand tu veux. »

Ils se séparent. Entre eux, c'est ainsi, un lien qui ne ressemble à aucun autre, aussi fort que l'amitié, aussi exclusif que l'amour et qui n'a pas supporté la présence de Géraldine.

Dans son terrier, Furtif lèche sa blessure. Chaque coup de langue brûle sa chair à vif. Il continue cependant ; son instinct le lui commande. Au bout d'un moment, épuisé, il pose sa tête sur le lit de terre chaude et se laisse aller à un doux sommeil, l'image de deux hommes en train de se battre devant les yeux.

VII

Le chien de l'ogresse

« ALLONS, NICOUT, MON GROS CHÉRI, on s'en va ! »
Mme Piquet tire sur la laisse, mais Nicout
n'est pas pressé de rentrer. C'est ainsi chaque jour :
l'odeur de la terre humide, le soleil intermittent lui
plaisent tellement ! Car Nicout n'est pas un quel-
conque chien d'appartement qui passe sa vie à dormir sur son coussin : corniaud, rencontre de toutes
les races, pur produit du hasard, il conserve dans sa
tête d'animal des désirs bien à lui, des goûts qui
n'ont rien à voir avec ceux d'une bête de compagnie. Mme Piquet le maintient dans un état qui n'est
pas le sien, l'attente de ce qui n'a pas d'image, qui
ne se définit pas, un tout essentiel et en même temps
ténu, léger et insaisissable. Ici, le temps dure trop.
Les heures, les minutes, les secondes s'étirent sans
jamais finir, nivelées, identiques, loin de cette exis-
tence de chien campagnard qu'il a connue. C'est le
passé qui pèse en lui.

107

Mme Piquet habite un petit appartement au quatrième étage d'un vieil immeuble. Avant Nicout, son mari et son fils vivaient avec elle. Mme Piquet n'était pas encore cette grosse femme essoufflée à qui la solitude donne faim. Le passé est inscrit sur les photos aux cadres dorés qui peuplent le dessus des commodes. La vie allait, faite de soleil et de gel, de disputes et d'embrassades. M. Piquet était un homme gai, mais indépendant. Il passait ses journées dans son atelier de menuiserie. Le dimanche, il allait à la pêche. C'était un autre temps, un monde révolu qui préparait celui-là. Mme Piquet ne faisait pas de colères, seulement des remarques très douces à M. Piquet : « Pourquoi tu rentres si tard ? Tu t'uses au travail et je m'ennuie toute la journée sans toi. » Au début, M. Piquet riait de tant de sollicitude amoureuse. Avec le temps, les paroles de Mme Piquet se transformèrent : « Tu pars encore à la pêche ? Et moi, qu'est-ce que je vais faire toute seule ? »

Les années s'ajoutaient aux années. Guillaume, le fils de Mme Piquet, grandit et accompagna de plus en plus souvent son père. La femme trompa son ennui en mangeant du chocolat. Ses glandes lacrymales grossirent avec sa taille. Elle se découvrit une compassion pour le malheur des autres, sur lesquels elle projetait les siens ou ceux qu'elle s'inventait. Les princesses et les stars abandonnées ou trompées lui arrachaient des déluges de larmes. Elle pleurait pour un rien, parce que les mites avaient troué un antique chemisier de sa mère qu'elle gardait en souvenir, parce que la solitude l'étouffait, comme une épaisse couverture.

« Je n'ai jamais fait de mal à personne ! disait-elle à Mme Tricaud, la concierge. Alors, pourquoi les autres me font-ils autant souffrir ? »

Les autres, c'était son mari et son fils qui avait, lui aussi, le caractère indépendant. Ses jérémiades, ses plaintes, ses cris eurent raison de la patience de M. Piquet. Un soir, il ne rentra pas de l'atelier. La grosse femme apprit qu'il était parti avec une autre qui riait tout le temps et ne lui en voulait pas d'aller à la pêche.

« Forcément, conclut Mme Piquet, une traînée n'a pas les soucis d'une honnête femme ! »

Guillaume était encore un adolescent, elle reporta sur lui son amour de femme délaissée.

« Ah, Madame Tricaud, si vous saviez tout ce que je fais pour lui ! »

Finalement, Mme Piquet était heureuse du départ de son mari, Guillaume était tout à elle. La grosse femme le gâtait, le couvait, l'étouffait de cet amour pesant qui ne laissait au jeune homme aucune pensée, aucun désir bien à lui. Sa mère vivait à sa place, il n'était qu'un élément extérieur de ce gros corps essoufflé.

Avec le temps, il devint un jeune homme. Mme Piquet ne s'en aperçut pas. Un jour, il rencontra une femme qui sut le regarder et trouver le chemin de son cœur, et ce cœur, jusque-là otage de sa mère, se mit à battre pour lui-même. Guillaume se découvrit aussi des idées personnelles et pensa qu'une autre vie existait au-delà de l'appartement feutré et des « qu'est-ce que je deviendrais sans toi ? »

Mme Piquet ne le supporta pas. Pourquoi ce fils adoré, à qui elle avait sacrifié chaque instant de sa vie, était-il devenu un ingrat ? Pourquoi était-il parti ? Mme Piquet alerta son voisin qui était gendarme. Il lui fit comprendre que Guillaume était libre de faire ce qu'il voulait. Elle promit de se suicider, mais ne meurent que ceux qui ne promettent rien. La grosse dame oublia son dépit. Elle vola Nicout à sa vie de chien de ferme. Le bonheur n'existe que partagé.

« Nicout, mon gros chéri, tu te décides ? »

Rien n'a changé dans l'appartement. Mme Piquet a trouvé un autre chéri et ça lui suffit. Cette fois, il n'y aura pas de femme pour le lui prendre, et elle tiendra les chiennes à l'écart.

La femme passe la plus grande partie de ses journées assise dans un large fauteuil, à lire ou à regarder la télévision. Et le temps passe sur son gros corps sans y laisser de trace, compté par les repas, les nuits, les jours de la semaine, avec leurs habitudes. Nicout s'enroule sur son coussin et somnole. À côté de lui, son assiette à fleurs est toujours pleine. De temps à autre, le regard de Mme Piquet se pose sur lui, enveloppant, protecteur, lourd.

Chaque après-midi, ils font la même promenade au jardin public. Mme Piquet se plaint de ses jambes et s'assoit sur un banc peint en vert. Au retour, elle passe dire bonjour à la concierge ; les deux femmes évoquent avec de grands soupirs la misère du monde, et la vie qui ne leur a pas fait de cadeau :

« Et moi qui vous parle, Madame Tricaud, vous ne croyez pas que j'ai été trop bonne ? Pendant nos quinze ans de mariage, je n'ai eu qu'une seule idée en tête, faire son bonheur. Il rentrait du travail, la table était mise. Je le dorlotais comme un bébé. Parfaitement, Madame Tricaud, comme un bébé !

– Les hommes sont des ingrats, ma pauvre Madame Piquet. Pour eux, les femmes sont juste bonnes à les servir. Ils sont tous pareils, allez !

– Je vous le dis : si maintenant j'ai des rhumatismes, c'est d'avoir trop monté ces escaliers pour lui. Oui, Madame Tricaud. J'étais assez bête pour aller lui acheter ses cigarettes ! Et ces dimanches que j'ai passés à l'attendre… Mais qu'est-ce que

111

j'ai fait au bon Dieu pour qu'il m'envoie autant de malheur ?

— Tout le monde porte sa croix, allez, Madame Piquet, faut pas se laisser aller, sinon, on aurait envie de mourir sur place !

— Heureusement que j'ai Nicout, conclut invariablement Mme Piquet. Un amour, mon gros chéri. Si vous saviez, Madame Tricaud, comme il est gentil. Ses yeux me parlent, je vous le promets. Le dimanche, lorsque je lui donne sa part de tarte à la pomme, on croirait qu'il me dit merci !

— C'est qu'il trouve ça bon, chère Madame Piquet ! s'exclama la concierge en riant.

— Vous savez, il n'a pas toujours été aussi bien traité. Il vient d'une ferme, et là-bas, c'était surtout le coup de pied au cul ! Pauvre chéri ! Heureusement que je l'ai trouvé. »

C'est en tout cas ce que croit Mme Piquet. Ce qui se lit dans les yeux de son chien, la vieille femme ne peut pas le voir. Elle n'y trouve que son propre reflet, tellement superficiel, gros comme une montagne.

« Nicout, mon gros chéri, on monte chez nous ! »

Mme Piquet salue Mme Tricaud, grimpe quelques marches puis s'arrête, essoufflée.

« On va se faire chauffer un peu de chocolat ! » dit-elle au chien d'un air gourmand.

Le chien de l'ogresse

Nicout n'aime pas le chocolat. Comment oublier la saveur du lait qu'il buvait dans sa ferme, encore chaud du pis de la vache, débordant de mousse, ce lait lapé à la va-vite dans une casserole oubliée, juste avant de s'éloigner en courant pour éviter le coup de pied de la fermière ?

Arrivée sur le palier, Mme Piquet souffle bruyamment, sort la clef de son sac, ouvre la porte, et la vie feutrée recommence. Nicout se couche sur son coussin. De temps en temps, Mme Piquet se penche sur lui ; sa main grasse court sur le dos du chien.

« Mon gros chéri, c'est l'heure de ton bain. »

La torture du bain, Nicout la supporte comme toutes les autres, en se repliant sur son passé dont il garde au fond de lui la mémoire sous forme d'images précises. Avant, il dormait une partie de la journée au soleil ou à l'ombre douce d'un tilleul. Les hommes ne lui demandaient rien et respectaient son indépendance. Ils n'hésitaient pas à lui botter les flancs lorsqu'il poursuivait les poules ou qu'il mordait un peu fort une vache attardée, mais c'était bien ainsi : Nicout restait à sa place de chien. Il avait la liberté d'aboyer aux feuilles mortes, de poursuivre les écureuils, de lever la patte sur les roues de voitures. Au temps des chiennes, il partait battre la campagne pendant plusieurs jours. Les coups

de dents des rivaux lui coûtaient parfois un morceau d'oreille, mais c'était la vie rêvée pour un corniaud. Son territoire n'avait pas de limite. L'estomac
presque toujours vide, il savait apprécier une soupe
à l'eau claire ou un peu de pain tombé de la table.
Il ne se baignait jamais, sauf ces après-midi d'août
où le soleil brûlait le poil et où son maître descendait
à la rivière.

Son maître ! Le seul qui ait une place en lui,
au creux de sa poitrine où le passé provoque une
douleur piquante. C'était un homme bien différent
de ceux d'ici. Il vivait dans ses champs à piocher la
terre avec un outil tranchant tandis que Nicout s'en
allait flairer les lapins dans les taillis. En été, l'animal se couchait sur sa veste et, là, imprégné de son
odeur, il avait l'impression que rien au monde ne
pouvait lui arriver. Il somnolait sans penser.

Maintenant, Nicout sait qu'il a été heureux et
ce passé lumineux augmente le poids du présent.
Un jour, il s'est révolté et a mordu Mme Piquet. La
vieille dame a cru à un jeu et s'est mise à rire. Le
soir même, il a tenté une fugue, mais Mme Tricaud
l'a arrêté en bas. Sa prison est sans faille.

Nicout a horreur de l'eau chaude. Horreur de
la mousse du bain qui dépouille ses poils de son
odeur de chien. Horreur du sèche-cheveux qui souffle son air chaud. Ce n'est pas une vie de bête, ça,

mais une vie d'homme ! Mme Piquet croit que tous les plaisirs ressemblent aux siens et n'a jamais pris le temps de regarder vivre les autres.

Au début, espérant éviter ces supplices, Nicout faisait semblant d'être malade. Il le regretta bien vite : Mme Piquet s'imagina qu'il avait la santé fragile et, dès qu'il éternuait ou aboyait dans son sommeil, elle le conduisait chez le vétérinaire, un homme qui le muselait avant de poser sur lui des objets froids et redoutables. Comme il ne pouvait montrer ses crocs, il se réfugiait dans le souvenir de ce temps où il était seulement un chien.

L'hiver dernier, son premier hiver à la ville, Mme Piquet lui a acheté un gilet de laine rouge. Nicout étouffait dans cette pelisse qui lui écrasait le poil, le ligotait. Il avait la désagréable sensation d'étouffer, mais il supporta cette nouvelle torture comme tout le reste.

Pourtant, il n'a pas oublié la joie de dormir les membres douloureux d'avoir trop couru, les yeux piquants d'être restés trop longtemps ouverts... Et ce bonheur d'avaler les restes d'un poulet que les hommes lui abandonnaient : les os et les cartilages craquaient sous la dent, un vrai régal de chien ! Devant son assiette garnie de pâtée spéciale pour animaux délicats, Nicout se souvient qu'il léchait les bouses fumantes, rongeait les charognes déterrées au cours d'une promenade. Point de sirops laxatifs, d'édredon moelleux ! Il dormait par terre, au hasard, se purgeait d'une touffe d'herbes sauvages et parfois, comble du luxe, volait un morceau de lard dans la musette de son maître. Ces jours-là, il devait se tenir à l'écart du bâton.

Quand l'orage grondait, Nicout avait peur. Une douleur froide qui dormait en lui s'éveillait aux premiers roulements du tonnerre. Elle éclatait dans ses membres, son estomac, sa poitrine. Son corps devenait liquide. Il n'avait plus la force de bouger ; pantelant, la langue par terre, il se cachait sous la grande table de la ferme et restait là, le cœur battant ; mais, après la tourmente, quelle joie de se savoir encore vivant, d'aller laper l'eau boueuse d'une flaque et de batifoler, libre de ses mouvements ! Quel bonheur d'être soi, un chien qui vit à côté des hommes, à sa manière de chien !

« Vous comprenez, Madame Tricaud, j'ai fini par lui dire ce que je pensais : "Tu pourrais faire l'effort de rester avec moi ! Tu sais bien que je n'aime pas la campagne et la pêche. Ici, on pourrait jouer aux échecs tous les deux, on pourrait lire, regarder la télévision ensemble." Il a répondu qu'il s'ennuyait dans l'appartement, qu'il avait besoin de mouvement… Alors, j'ai éclaté ! Je lui ai dit que je passais ma vie à m'occuper de lui, de son confort et qu'il n'en avait aucune reconnaissance !

– Madame Piquet, je vous en prie, ne vous mettez pas dans ces états pour quelque chose de passé. Cela ne changera rien au présent.

– Vous avez raison, Madame Tricaud, cela ne changera rien, pourtant, je ne peux pas m'empêcher d'y penser tout le temps. C'est une trop grande injustice. Qu'est-ce qui me reste de tant d'années de dévouement ? Mon mari parti, mon fils qui vient me voir si rarement !

– Il vous reste Nicout, Madame Piquet.

– Ah, vous avez raison ! Et lui, au moins ne s'en ira pas ! »

Les yeux lourds d'une insupportable affection, Mme Piquet se penche sur Nicout ; la caresse de cette main potelée écrase le chien, hérisse son poil de répulsion. Non, il n'est pas heureux ici, et chaque jour qui passe, chaque minute augmente son désarroi. La vieille femme sait-elle qu'il est né dans un coin de grange et qu'il ne souhaite pas d'autre confort ? Chiot, il s'est aiguisé les dents sur du bois pourri qui lui laissait sur la langue un goût âpre et persistant. Jour après jour, il a appris à comprendre les signes de l'aube blanche entre les noyers, les promesses de soleil d'un crépuscule rouge derrière les châtaigniers. Ici, le soleil a disparu et n'entre pas dans l'appartement. Aucune odeur nouvelle, fraîche comme un signe de liberté, ne vient égayer l'air qu'il respire. L'uniformité des jours fait perdre la notion du temps. Cette année, Nicout est resté insensible à la saison des chiennes. C'est à peine s'il a ressenti un léger bouillonnement de sang dans ses veines et un tiraillement aigu dans son ventre. Le souvenir des orgasmes passés s'est noyé dans la nuit qui entoure sa vie, la frange de noir, comme une lettre de deuil. Ses amours de chien sont parties en poussière et il n'en reste, au moment du désarroi, que quelques éclairs qui illuminent, l'espace d'un vague trouble, son cerveau tout entier.

« Tiens, mon gros chéri, mange donc un bon-bon. »

Quand elle a des insomnies, Mme Piquet va regarder dormir Nicout, son seul compagnon. Cela la calme, dit-elle. Souvent, pour s'éviter le déplacement et se faire de la compagnie, elle lui demande de se coucher sur l'édredon à côté d'elle. Là, il doit supporter les « qu'est-ce que je deviendrais sans toi ? » qui tombent sur lui, gluants, comme des limaces.

Souvent, Mme Piquet se laisse aller. Elle parle à Nicout qui, même s'il l'écoutait, ne comprendrait pas. L'entendement d'un chien est un peu sembla-ble à celui d'un homme, mais il a aussi ses limites, enfer ou paradis selon les circonstances : il éprouve des sentiments simples, suffisants pour lui donner le sens de la joie, de la tristesse, de la peine et de l'affection.

« Cela me fait du bien de te parler, mon gros chéri ! Je suis si seule, comprends-tu ? J'ai dû endurer des paroles si méchantes. Tu sais ce qu'il m'a dit quand il est parti, tu le sais, hein, parce que je te l'ai déjà dit. Cette parole, je la garderai en moi jusqu'à ma dernière seconde. Il m'a dit : "Ici j'étouffe, j'ai beau ouvrir la bouche, il n'y a pas d'air !" Et il est parti, comme ça, sans autre explication. Avec sa putain, sûr qu'il n'étouffe pas, mais moi je sais qu'il n'est pas heureux ! Elle ne doit pas beaucoup s'occuper de lui ! »

Chaque jour, à l'heure de la promenade, la brûlure du collier est plus profonde. Le printemps souverain allume pourtant les arbres, mais Nicout ne les voit pas. Dans sa ferme, les premiers jours de mars éveillaient des bruits de vie. Les poules caquetaient plus fort sur les nids, les oiseaux se chamaillaient dans le tilleul et venaient à terre ramasser les brindilles. Un chat les attendait, dissimulé derrière une touffe d'herbes. Nicout partait alors pour d'interminables courses dans les collines, histoire de se dégourdir les pattes et de sentir la trace du renard. Ce cousin l'attirait : son odeur différente de celle des chiens avait aussi quelque chose de semblable. Au retour, fourbu, il s'asseyait sans manière devant la porte de l'étable, sur la poussière brûlante de soleil. Le soir, on lui donnait une ration de soupe de pain qui lui laissait l'estomac léger, mais il s'endormait près de l'âtre, les pattes dans les cendres chaudes… Et le matin, lorsque le maître ouvrait la porte de sa chambre, Nicout lui disait bonjour à sa manière, en remuant la queue. Tous deux sortaient. Le jour qui commençait était un ravissement.

Un soir d'hiver, le monde s'est arrêté. Le temps était gris et froid. Le ciel lourd se posait sur les arbres. Rien ne bougeait, pas même l'eau de la mare. À l'étable, les vaches ruminaient dans la tiédeur de la litière fraîche. Le maître regardait l'horizon, les mains dans les poches, et allait s'asseoir près du feu. Mme Piquet arriva avec son gros sac à main, ses jambes fatiguées, ses rhumatismes, sa solitude étalée autour d'elle comme du brouillard. Elle parla des longues journées passées à regarder la rue de sa fenêtre, du silence de son appartement peuplé de souvenirs, de l'ennui qui lui mettait des idées en tête. La fermière repoussa ses cheveux gris qui tombaient sur son front et dit de sa voix puissante :

« Allons, Madame Piquet, faut pas vous laisser aller de la sorte. C'est la meilleure manière de faire une dépression.

– Bien sûr, gémit Mme Piquet, mais à quoi voulez-vous que je me raccroche ? Je n'ai personne, rien. Quand je descends, je bavarde cinq minutes avec Mme Tricaud, la concierge, mais trois étages nous séparent et une fois ma porte fermée, je suis seule. Ah, comme le monde est ingrat ! »

Ils parlèrent ainsi longtemps. Le jour glissait dans la nuit qui attendait la neige. Le maître attira Nicout dans la maison et lui mit un sac sur la tête. Complètement perdu, mais confiant, il se laissa faire. Quand Mme Piquet enleva le sac, il était ici, la laisse au cou, l'assiette à fleurs devant le museau...

Ce soir, Nicout ne réfléchit pas lorsque Mme Piquet ouvre la porte pour sortir sa poubelle. À la promenade, l'air tiède du printemps lui a donné une irrésistible envie de liberté. Il se lance dans l'escalier, dévale les étages jusqu'au rez-de-chaussée que Mme Tricaud a oublié de fermer.

« Mon gros chéri, où vas-tu ? Ce n'est pas le moment de jouer. »

Mais Nicout ne joue pas ; sa fuite est sans retour. Il quitte cet appartement détesté, sa laisse, ses coussins, les « qu'est-ce que je deviendrais sans toi ? » S'il ne retrouve pas le chemin de sa ferme, cela n'a pas d'importance, il fuit. Comme M. Piquet, comme Guillaume, il ne pense pas au malheur qui l'attend. Il le désire même, puisque vivre c'est avoir ses membres lourds de fatigue, c'est dormir après la course, c'est avoir faim et froid, c'est avoir mal sans en connaître la raison et se sentir si bien quand la douleur s'en va… Il traverse la rue, court à toutes jambes. Les maisons défilent, d'autres rues s'ouvrent à lui. Puis les lumières s'espacent. Des odeurs, enfin de véritables odeurs d'humus, d'animal et de fumier arrivent à ses narines. Des bruits de toutes sortes lui font dresser les oreilles. Il croit percevoir, lointain, l'appel d'une chienne en chasse. La nuit s'offre à lui, il la traverse comme un boulet. Son cerveau est aussi noir que le ciel, aucune image n'y apporte la moindre lueur, aucune lune n'attire ses pensées. Cette course est sans fin, puisque sans retour.

Mme Piquet l'appelle du haut de l'escalier ; sa voix flûtée résonne comme dans une église. Comme le chien ne revient pas, elle se précipite au rez-de-chaussée et, les larmes aux yeux, demande à la concierge si elle n'a pas vu Nicout. Mme Tricaud s'étonne de cette nouvelle fugue.

« Faut avertir la police ! s'écrie Mme Piquet. Il va se faire écraser par une voiture. »

Elle pleure, maintenant. Mme Tricaud compatit. Elle sait, pour en faire l'expérience quotidienne, le poids de la solitude d'une vie passée au service des autres, à donner et ne jamais rien recevoir… Une vie perdue.

« Voilà où cela conduit de faire le bien autour de soi. Je suis maudite. On a dû me jeter un mauvais sort. »

Mme Tricaud décroche le téléphone, avertit les gendarmes, qui ont autre chose à faire que chercher un chien fugueur.

Quelques minutes passent. Mme Tricaud invite Mme Piquet à s'asseoir.

« Vous en faites pas, il va revenir tout seul !

– À quoi sert la police, je vous le demande ? Même pour mon garçon, ils n'ont pas voulu se déplacer. Je suis allée voir M. Berthaut, je lui ai dit que, même si Guillaume avait vingt-deux ans, il s'était laissé embobiner par cette fille et qu'il fallait le ramener parce que c'était un garçon fragile et que moi seule pouvais lui donner correctement ses médicaments. Eh bien, vous savez ce qu'il a fait, M. Berthaut ? Il m'a ri au nez ! Voilà où en est la police moderne, Madame Tricaud. »

Le téléphone sonne et une voix nasillarde annonce qu'on a retrouvé Nicout. Renversé par une voiture à trois kilomètres de là. Mme Piquet pousse un cri de désespoir. Elle a un instant d'abattement, puis elle demande s'il est mort ? Non, il est seulement blessé : une patte brisée, rien de grave. Mme Piquet avale ses larmes. La vie revient dans son gros corps affalé sur une chaise. Elle s'essuie le visage avec un mouchoir à fleurs rouges. Mme Tricaud lui propose une tisane pour la calmer.

Une heure plus tard, on lui ramène Nicout qui gémit. Le vétérinaire accepte de se déplacer. Mme Piquet se réjouit déjà d'avoir à s'occuper de lui, à le veiller, lui préparer de bonnes choses pour qu'il se rétablisse vite. C'est une femme de dévouement qui ne compte pas sa peine !

« T'en fais pas, mon gros chéri, je vais te dorloter. C'est toi qui as raison. Mais ne m'en veux pas. Tu vas voir comme on va être heureux tous les deux. Et puisque tu aimes tant les boules de viande farcies, tu en auras tous les jours. C'est juré… »

Nicout sait maintenant qu'il ne reverra jamais sa ferme natale. Il ne connaîtra plus la joie de se rouler dans la poussière odorante, les quatre pattes étalées ; il ne coursera plus les lapins dans la rosée du matin, ne luttera plus avec un rival pour la conquête d'une chienne. Il ne gambadera plus dans l'herbe nouvelle, n'aboiera plus au vent pour le plaisir d'entendre sa voix se heurter à la frondaison des arbres. Il ne courra plus au fond de la vallée avec le troupeau indiscipliné des génisses que le printemps énerve. Le bruit rassurant des sabots de son maître sur le perron ne sera qu'un souvenir d'une autre vie. Il ne reverra jamais cet homme avare de mots. Son affection ne se disait pas : c'était une main oubliée, une grosse main posée sur le front de Nicout…

Pourquoi s'est-il seulement brisé la patte tout à l'heure en traversant le carrefour ? Il sait que la nuit aurait pu envahir sa tête et y rester à jamais. Il ferme les yeux pour se rappeler cet appel au milieu des bruits de la nuit, un aboiement plaintif, celui d'une chienne, un signe de vie auquel il va se raccrocher jusqu'à ce que la porte s'ouvre de nouveau.

VIII

Le lièvre sur la route

Flippo, le lièvre, s'arrête au bord de l'eau. L'haleine humide du torrent le rafraîchit. C'est bon, agréable comme l'air vif du matin. Assis sur les galets, il reste ainsi un moment. Le sang cogne à ses tempes. Des ondes passent sur son dos ; ses cuisses tremblent. Il a mal à l'abdomen.

La nuit reste claire, une nuit de lièvre avec ses étoiles, tellement d'étoiles et une si large lune que les taillis sont éclairés d'un jour cru, rempli d'ombres mouvantes, sans profondeur. Il n'y a pas de vent : la respiration de la forêt vient du nord.

Flippo dresse les oreilles. Le glapissement du renard se distingue bien de la rumeur des taillis. Le lièvre hésite. Faut-il traverser la rivière glacée au risque de ne plus pouvoir courir ? Doit-il, au contraire, longer la berge après quelques sauts de travers ? Il ne sait plus : trop de choses se bousculent dans sa tête. Il a quitté son gîte comme tous les soirs, attiré

127

par l'odeur du trèfle en bordure de la prairie. Qui ne connaît pas le goût un peu aigre de ce trèfle nouveau ne sait rien des plaisirs de lièvre. Sans ces nuits claires un peu froides, sans ces herbes tendres qui semblent poussées de la journée, le printemps aurait-il un sens ?

Dans le trèfle, Flippo s'est donné à la griserie de la gourmandise et il n'a vu le renard qu'au dernier moment. Surpris, il a fait un bond de côté, puis il a couru à travers la pente en suivant les ombres, avec facilité. À chaque bond, il sent ses muscles se détendre, pleins de force et de souplesse. Dans la plaine, à proximité des maisons, il traverse le grand pré nu sous la lune. Le renard hésitera à le suivre si près des hommes. Flippo ne s'est pas trompé : le glapissement du renard s'éloigne. Il passe très près de la maison où brille une lampe. Il pourrait se terrer là, attendre le jour, mais le renard aurait vite compris qu'il ne risque rien, lui non plus, et viendrait le surprendre.

Flippo avance sur les galets, dépasse une cascade qui lui brouille l'ouïe et s'arrête de nouveau à côté d'un calme. Sur l'eau plus sombre se brisent de larges plaques de lune. Le lièvre pourrait traverser à cet endroit sans risque d'être emporté par le courant. De l'autre côté, entre les saules, la berge monte en pente douce. Il connaît bien l'endroit pour y avoir semé plusieurs fois les chiens du fermier. Un vieux lièvre comme Flippo a tellement rusé dans sa vie ! Il a dû prévoir toutes sortes de dangers : l'attaque du grand duc, du chat, le terrible chat sauvage, souple, silencieux, efficace... Il y a aussi les collets invisibles qui étranglent, les hommes et leurs fusils... Rester vivant est un tour de force de chaque instant. La moindre inattention, le moindre oubli coûtent si cher ! Combien de jeunes lièvres venus de lointains pays, plus grands et plus forts que Flippo, ont disparu ainsi sous la dent des chiens, des renards ou dans la gibecière ? Tout ça pour un simple moment de gourmandise !

Flippo a eu aussi de la chance. Un jour, il s'est trouvé acculé par la meute braillarde du village voisin dans l'anse d'un étang, entre les joncs, et fut sauvé par un inexplicable rappel des chiens... Une autre fois, tout jeune encore, un coup de fusil souleva devant lui une gerbe de pierres et de terre. Il courut en zigzag sans savoir qu'il devait sa vie à l'inexpérience du tireur.

Les jappements aigus se rapprochent. Flippo doit agir vite. Il connaît la malice des renards qui chassent à deux, l'un derrière le lièvre et l'autre caché dans le bois, à l'affût.

Une nuit, à peu près identique à celle-là, Flippo, talonné par l'un d'eux, réussit à embrouiller sa piste en croisant celle d'un autre lièvre, nouvel arrivé dans les collines, un mâle au poil luisant. La course n'avait pas duré longtemps. Le lièvre, fatigué après un grand détour, était revenu vers son gîte où l'autre renard n'eut qu'à le cueillir.

Maintenant, le poursuivant se tait. Aurait-il abandonné ? Non, c'est un piège. Flippo s'approche de la rivière, hume l'air autour de lui, tend les oreilles. Le souffle de l'eau est peuplé de bruits infimes, Flippo n'aime pas ce trop grand calme. Les oreilles à plat sur le dos, il nage jusqu'à l'autre rive où un petit sentier court entre les joncs. Il attend, immobile. Son expérience l'a encore sauvé : le renard arrive sur la berge, descend vers l'aval, traverse en dessous de la cascade et se met à pousser des cris pointus pour avertir son compagnon. Flippo réfléchit à tout cela très rapidement. La forêt est sombre ; le mur des taillis se dresse devant lui, et là, tandis qu'il entend le renard s'approcher, il voit l'image du trèfle nouveau dont le goût un peu acide parfume encore sa bouche. Cela le trouble ; une brindille craque près de lui. Sans réfléchir, suivant son instinct, il saute à travers le mur de l'ombre et court aussi vite qu'il peut. Pour échapper au danger, Flippo ne peut compter que sur ses pattes ; c'est ainsi depuis qu'il y a des lièvres.

Pas très loin de là, au bout de la forêt, une voiture s'est arrêtée. Flippo n'a pas vu la lumière, il a seulement entendu le bruit lointain du moteur qui s'est arrêté. Les phares regardent un bref instant les fougères et les arbustes, puis s'éteignent. La nuit retrouve son royaume, celui des bruits, de l'invisible. Dans la voiture, deux silhouettes assises ne bougent pas. Figées dans un regard vers le néant, elles semblent loin l'une de l'autre. Pourtant, elles pensent à la même chose ou presque, avec cette amertume que l'on trouve au bout d'un chemin ou d'une aventure. Au volant, Loïc, un jeune homme blond aux cheveux courts, plisse les yeux, serre les lèvres. À côté, Marie, une belle brune, regarde l'ombre du fossé. Loïc secoue la tête, inspire, se tourne vers elle. Son visage se crispe :

« Pourquoi ? »

Elle hausse les épaules. Comment répondre à cette question sans blesser un peu plus, sans tailler dans la chair à vif de son compagnon.

« Écoute, Loïc, faut pas chercher à comprendre. C'est ainsi…

– Mais qu'est-ce que j'ai fait ? Quelle est ma faute ? »

Elle hausse de nouveau les épaules :

« Tu n'as pas fait de faute. C'est le temps qui a tout usé, qui nous a entraînés vers ce soir. Le temps… Il nous a donné du bonheur pendant quelques années, et maintenant il reprend tout.

– Il reprend tout parce que tu ne veux plus de moi ! Tu as quelqu'un d'autre, voilà la vérité ! »

Elle se tourne vers lui. Dans ses grands yeux luisent quelques fragments de lune couleur d'or frangés de bleu. Loïc découvre cet ultime soir combien ils sont beaux, combien ils l'ont aidé à vivre.

« Tu as quelqu'un d'autre ! répète-t-il avec la conscience que ce trésor lui échappe pour se donner à un passant, au premier venu.

– Ça ne sert à rien de te faire du mal ! »

Il s'énerve. Ses doigts se crispent. Les muscles de son visage se tendent :

« Je veux savoir. C'est Jabert ? »

Elle sourit. Les fragments de lune deviennent éclats de verre. Maintenant, ses yeux regardent en elle, un visage qui remplit ses pensées :

« Tu m'imagines avec Jabert ?

– Alors, l'autre imbécile de Junot. »

Elle fait volte-face, comme touchée à un point sensible :

« Junot n'est pas un imbécile !

– J'ai visé juste. C'est un moins-que-rien. Parce qu'il a une belle gueule, il se croit tout permis. D'ailleurs, il n'a aucun respect des femmes ; il s'en sert, il les méprise toutes. Je le hais.

– Il ne les méprise pas toutes… »

Le silence retombe. Lourd. Loïc baisse la tête, écrasé par un sentiment de défaite et une peine immense. Il a envie de pleurer et se retient pour ne pas montrer qu'il est le plus faible.

Flippo a trop attendu. Cet instant d'hésitation tout à l'heure au bord de la rivière, ce bref mirage du trèfle neuf sous le vent tiède du printemps va lui être fatal. Le renard est à quelques pas de lui et ne se cache plus, preuve qu'il est sûr de gagner. Le lièvre fait demi-tour et, d'un bond superbe, saute dans l'eau, nage de nouveau vers la rive opposée. Il bondit entre les taillis et disparaît. Les jappements reprennent, se répercutent jusqu'aux étoiles. Au loin, le compagnon de chasse a dû comprendre : le fugitif est un vieux lièvre plein d'expérience et n'est pas encore prêt à retourner à son gîte. La poursuite va durer une partie de la nuit. Qu'importe, il se fatigue ; ses bonds sont déjà moins puissants. Il sera pris avant le lever du soleil qui marque le règne des hommes et des chiens.

Flippo le sait, mais il court ; il courra jusqu'à épuisement de ses dernières forces. Cette fuite irraisonnée est inscrite en lui. Fuir pour rester dans le présent, pour échapper à l'inconnu, à la chose noire qui peuple l'autre côté du monde. D'ailleurs, rien n'est perdu. Parfois, les renards abandonnent la poursuite sans raison. S'il y avait une ferme à proximité, Flippo irait directement dans la cour provoquer les aboiements des chiens. Mais il est loin de tout, perdu dans les collines. Les ronces le fouettent, griffent son pelage. Il court sans but, perdu dans la nuit de cette forêt qu'il connaît pourtant si bien. Le piège se referme. Sur la droite, le deuxième renard se met à aboyer. Son poursuivant ne cherche même plus à gagner du terrain.

Loïc serre les poings. Il ne comprend pas que les beaux jours puissent s'arrêter si simplement, par quelques paroles. Il veut des explications, il veut connaître ses fautes, ses erreurs, ses manquements. Il est prêt à tout pour demander grâce, pour obtenir un sursis de la sentence. Le condamné n'a pas fière allure ; en s'humiliant, il hâte son supplice.

« Qu'est-ce qui ne va pas entre nous ? Tu me le dirais… Je ferai ce qu'il faut. C'est vrai, j'ai des défauts, j'en ai même beaucoup, mais je suis bon ; je ne t'ai jamais fait de mal, tandis que Junot parle avec mépris de tout le monde. Il se croit supérieur, Junot. Avec sa petite gueule de fille, c'est pas un homme ! »

Marie ne répond pas, marque seulement son agacement par un mouvement des épaules. La lune caresse ses cheveux. Il insiste :

« Qu'est-ce qu'il a de plus que moi ? Hein, qu'est-ce qu'il a ? »

Loïc a crié. Il a pris le poignet de Marie et le serre si fort qu'elle fait la grimace :

« Tu me fais mal ! Je t'en prie, arrête. Cela ne sert à rien. Quand c'est fini, on ne peut rien, on ne peut pas raccommoder une histoire qui arrive à son terme. C'est ainsi. Tu le sais aussi bien que moi. Tu sais depuis plusieurs mois qu'on marche l'un à côté de l'autre sans plus jamais se regarder. Mais tu n'as pas le courage de te dresser face au vent. Tu n'as pas la force d'aller vers le nouveau, vers l'ailleurs qui te réserve encore beaucoup de joies.

– Pour l'instant, c'est de la peine que j'ai. Une peine lourde comme du plomb et qui me tient là, cloué à ce siège. Si j'ai été maladroit, c'est que je t'aime trop. J'ai voulu t'enfermer, te garder entière pour moi. C'est ainsi. Je suis jaloux. J'en veux aux autres de te trouver belle. Si j'osais, je te défigurerais pour n'avoir en moi que ton souvenir. Je te tuerais… Je veux la vérité.

– À quoi ça peut servir ?

– Je veux la vérité ! insiste Loïc.

– Puisque tu y tiens, je vais te la dire. Si tu veux avoir mal, je vais te parler franchement. Tu as peur de te mesurer aux autres. Tu as peur et c'est ce qui t'aveugle. Durant ces deux ans, tu n'as cessé de me soustraire à la vie. J'ai bien essayé de te faire comprendre, mais tu n'as pas voulu, c'était trop difficile. Tu ne m'aimes pas, tu ne m'as jamais aimée.

135

Ce que tu aimes, c'est une certaine image de toi, un reflet que tu projettes sur moi. »

Flippo a les pattes lourdes, les poumons pleins de feu. Ses bonds sont de moins en moins assurés. La fatigue voile déjà ses pensées. Il ne sait plus quel chemin prendre dans cette nuit qui n'en finit pas. Une seule direction s'impose à lui, celle de son gîte creusé dans la terre rouge, plein de son odeur apaisante... Là, tapi, les oreilles rabattues, il est invisible. Le voilà qui s'affole ; son expérience amassée durant ces années, ses ruses qui l'ont sorti de tant de mauvais pas ne lui serviront plus à rien. Si seulement il pouvait croiser la piste d'un autre lièvre ! Mais non, le bois est désespérément vide. Il n'y a que lui et les renards qui se rapprochent.

Il arrive dans une prairie en pente douce. La lune coule sur l'herbe en cascades jaunes. Il hésite, oblique sur la droite, suit l'ombre d'une épaisse haie, quand un grillage l'arrête. Aigrelets, les glapissements explosent au fond de sa cervelle en une douleur cuisante. Flippo court le long du grillage, saute un fossé, arrive à une rivière qu'il traverse d'un bond. Le renard perdra du temps dans l'eau, quelques précieuses secondes pour le lièvre exténué. Voilà une route ; le ressort de ses pattes est plus fort sur cette surface lisse, mais la fatigue vient plus vite. Tant pis, il la suit, les renards hésitent toujours à marcher dans les chemins des hommes.

Loïc serre les dents. Il a un sursaut de dignité et comprend que sa faiblesse ne sert qu'à l'enfoncer un peu plus. Sur le noir de la nuit, il voit des éclats rouges. Les poings durs, il menace comme ceux qui sont à bout d'arguments.

« La vérité, c'est que tu es une sale fille. Il te faut du changement, voilà ! Tu veux tous les hommes pour toi. Tu aimes la souffrance des autres. Ça te conforte dans ta beauté et ton pouvoir de séduction. Mais tu te trompes. Je n'ai jamais été dupe. Ah ! Tu croyais que le Loïc allait pleurer, qu'il allait se mettre à genoux devant toi et te supplier de rester. Je suis pas Junot, moi ! Je sais pas ce qui me retient de…

– Loïc, je t'en prie. Ne dis pas n'importe quoi.

– Ah, c'est toi qui as peur, maintenant !

– Peur de toi ? Mais pour qui te prends-tu, Loïc ? Tu es faible, égoïste et mauvais amant ! »

Le coup a porté. Loïc trébuche ; sa tête se pose sur le volant. Il se met une main devant les yeux, puis se tourne vers Marie, le regard froid :

« Répète.

– Tu es un mauvais amant ! On ne te l'a jamais dit ? »

La main du jeune homme frappe ce visage ovale tourné vers lui. Un bruit sec éclate dans la nuit. Les cheveux noirs se soulèvent, battent des ailes, puis se posent sur les épaules qui se contractent.

« Répète ! » dit de nouveau Loïc d'une voix blanche.

Une autre gifle claque, puis une troisième. Marie se protège le visage avec ses mains.

« Loïc, tu es fou ? Arrête ! »

Flippo suit les lignes claires de la route. Ses griffes raclent le goudron. Il court avec moins de force, mais le renard méfiant se tient en retrait et reste à l'ombre de la haie, sur l'herbe qui le freine. Flippo reprend espoir, il croit avoir entendu des bruits de voix humaine, des cris. Le danger est aussi grand pour lui que pour le renard, mais avec un peu de chance, il peut en profiter.

Tout à coup, une violente lumière troue la nuit. Le lièvre est ébloui. Une explosion de feu le bloque sur place. Il ne pense plus à rien, ni au renard, ni à la nuit qui s'est cachée derrière ce mur. Il est lumière lui-même, bloc de lumière posé sur ce qui fut une route des hommes et n'existe plus. Le monde se réduit à ces deux phares ouverts sur lui.

Le temps passe, minutes, heures, siècles. Pour Flippo, le temps ce n'est que l'instant et quelques images d'une vie passée qui peuvent l'aider à choisir le meilleur chemin pour échapper au chien errant, pour savoir que cette odeur dans l'air du printemps est celle des femelles, pour trouver une herbe tendre au plus froid de l'hiver. La lumière a effacé tout cela. Aplati sur la route, Flippo ne peut pas détacher son regard de cette source rayonnante qui le rend aussi transparent qu'une eau claire et le détruit.

« Loïc, arrête ! Tu as allumé, on va nous voir ! »

Le jeune homme prend brusquement conscience de la monstruosité de son acte. Le voilà vidé de toute force. La douleur change de visage. Sa cible n'est plus Marie qui sanglote, c'est lui-même, et le voilà qui s'en veut.

« Pardonne-moi. Tu m'as fait tellement de mal ! »

Marie ne répond pas ; elle aussi a mal. Les histoires d'amour se terminent toujours ainsi, surtout les plus belles. Elles fabriquent leur propre mort. C'est peut-être du néant que rêvent les meilleurs amants.

« Regarde… Dans les phares, sur la route… »

Loïc lève la tête, oublie un instant le poids de ce cisaillement au ventre qui sera demain pire qu'aujourd'hui.

« Un lapin ? Non, c'est un lièvre. Les phares l'éblouissent. »

La lumière s'arrête. Flippo la voit mourir dans sa tête. Lentement, elle s'efface, cède la place à la nuit, au bruit qui revient, aux renards. Il tend l'oreille. Son poursuivant ne doit pas être loin, il attend tranquillement que la voiture s'en aille pour cueillir ce lièvre aplati sur la route et à bout de forces, mais Flippo sait que le renard redoute les hommes plus que lui, et qu'il n'osera s'approcher. Tant qu'ils sont là, le lièvre ne risque rien. Au loin, un coq chante.

« Marie, je t'en supplie, réfléchis. Je suis si malheureux. Je ne peux pas vivre sans toi. »

Le faible a de nouveau pris le pas sur le violent. Loïc a parlé d'une voix plaintive d'enfant abandonné. Du bout des doigts, Marie caresse la main du jeune homme. Il sanglote :

« Marie, reviens, je ferai ce que tu veux. Je serai toujours à toi. Je ne penserai qu'à toi, tout le temps. »

Marie fait une grimace, mais Loïc ne le voit pas. Si elle parlait, Marie, si elle disait sa pensée, Loïc comprendrait qu'il tue avec ses jérémiades ce qui lui restait de tendresse pour lui. « Aimer, pense-t-elle, c'est oublier toute pudeur, c'est se montrer à nu, sans le moindre masque, mais il y a des moments où ce qui devrait rapprocher les êtres les sépare à jamais ! »

« Les masques sont toujours nécessaires ! continue-t-elle à haute voix, même s'ils diminuent l'intensité des sentiments, ils les protègent de l'usure.

– Qu'est-ce que tu dis ?

– Je dis que tout ce qui existe est condamné à disparaître. Aimer quelqu'un, c'est le tuer d'une certaine façon.

– Voilà que tu recommences ta philosophie. Moi, je comprends pas ces raisonnements compliqués. Je comprends seulement que je vais crever.

– Mais non. On ne meurt pas aussi facilement. Ce serait trop beau. »

Loïc ouvre la portière, sort dans la nuit froide. Ses sanglots, à cette heure où tout se tait, s'écrasent contre le mur de l'ombre comme des fruits trop mûrs. L'homme s'est arrêté à quelques pas de Flippo, mais ne le voit pas. L'instinct commande au lièvre de ne pas bouger. Le renard a déjà dû fuir… Une autre portière claque. Marie, surprise par le froid, serre son manteau sur sa poitrine et avance vers Loïc.

« Il faut rentrer, maintenant ! dit-elle.

– Je vais marcher sur cette route. Après celle-là, il y en aura une autre, puis une autre. Les routes succèdent aux routes. Elles s'offrent aux pas de ceux qui sont seuls. Elles se donnent au premier venu, comme les femmes.

– Cesse donc de dire des bêtises. Rentrons.

– Prends la voiture. Moi, j'irai chez moi à pied. Marcher, toujours marcher. Ne penser à rien, oublier cette douleur qui me brasse les boyaux… Marie, je t'aime. »

Encore un mot de trop. Marie le reçoit comme un coup d'épée, une brûlure. Encore un masque. Loïc aime un reflet, mais il n'a jamais cherché à savoir qui était Marie et s'il pourrait l'aimer encore quand il verrait son véritable visage.

« Loïc, tu dis n'importe quoi parce que tu te contentes de l'à-peu-près. Tu rêves d'une petite vie avec moi, d'une maison avec des traites à payer tous les mois. Tu rêves de vieillir, voilà la vérité. Tu fuis, tu tournes le dos à la vie, parce que tu n'aimes que la mort. Rappelle-toi, Loïc, la vie c'est le contraire de l'habitude, le contraire de l'acquis. Elle ne se met pas en cage ; comme l'amour, elle ne peut s'épanouir que dans la totale liberté. Toi, tu ne cesses de construire des murs et des barrières pour te protéger. Ce que je te dis là, c'est pour toi, pour que tu y penses. »

Il soupire. Loïc ne comprend pas toujours ce que dit Marie. Parfois, il pense qu'elle est un peu folle, excessive et, surtout, insatisfaite. Ses joies ne sont jamais entières, ses plaisirs s'embrument toujours de regrets. Elle regarde l'à-côté des choses, les ombres du soleil. Ce qui est simple, le bonheur de vivre de jour en jour, ne lui suffit pas. Elle court après un absolu qui n'existe pas ou qui lui échappera toujours.

« Moi, je ne complique pas ce qui me semble simple ! dit Loïc. C'est vrai, je veux vivre sans me poser des questions à chaque instant. Je veux aller de jour en jour avec une femme qui me comprend, voir grandir nos enfants et leur donner un toit douillet. C'est vrai, je ne suis pas ambitieux.

– Ce n'est pas d'ambition qu'il s'agit, c'est de sincérité, de recherche de la vérité sans laquelle on vit avec la peau de quelqu'un d'autre. On gagne toujours à regarder la réalité ! »

Flippo s'est déplacé dans l'ombre du fossé. Loïc et Marie sont si près de lui qu'il sent le parfum agréable de la femme, une odeur d'après-midi de printemps dans cette nuit gelée. Ils se font face. L'homme a les épaules basses. Le coq chante de nouveau dans une ferme voisine.

« Il est tard ! dit-il avec lassitude. Je ne sais pas ce que je ferai demain. Je voudrais dormir une éternité.

– Je serai ton amie. Tu pourras toujours compter sur moi.

– Non. J'aurai trop de regrets pour cela…

143

– Tu verras, dans quelques mois, tu n'y penseras plus ! »

Il sanglote toujours. C'est un tout petit enfant que Marie prend par le bras et fait monter dans la voiture. L'aube peuple la nuit de formes vagues. La route s'éclaire d'une lumière qui n'est plus celle de la lune. Les portières claquent. La voiture démarre et s'en va sur cette route des hommes qui conduit à tant de secrets.

Flippo ne bouge pas. Il se tient prêt, les oreilles dressées pour capter le moindre bruit. Mais non, les renards ont dû abandonner la poursuite. Le jour est là et le lièvre distingue nettement dans le sous-bois les premières fougères entre les feuilles sèches.

Il bondit, ses muscles ont retrouvé toute leur force. Avant d'arriver à son gîte, il s'arrête dans le champ de trèfle. Ce soir, les renards reprendront peut-être la chasse, mais il lui reste toute une grande journée pour profiter de cette herbe tendre, pour respirer, tout simplement.

IX

L'âne de Patagonie

MINAUD NE SAVAIT PAS DU TOUT où le conduisait le chemin des jours commencé dans un autre pays. Sa vie était une longue marche, son temps se comptait au rythme de ses sabots, au battement rapide de ses oreilles. Minaud regardait toujours devant lui ; fier, doté d'une patience infinie, il semblait toujours pressé. Venu d'un lointain Poitou où vivaient ceux de sa race, personne ne s'étonnait plus de ses longs poils noirs sur le dos, de ses yeux cernés de charbon. Malgré cela, c'était un âne ordinaire qui ne pensait qu'à l'instant, au présent, à la joie d'être avec Justin, l'homme qui donnait un sens au soleil.

« On fout le camp, Minaud ! »

Justin, l'ivrogne, son maître, était petit, maigre et sale. Des joues creuses piquées de barbe grise, un front large taillé de rides et, par-dessus, un béret collé au crâne. Ce béret couvrait un tumulte de chaque instant, des ouragans et des tremblements de terre, un paradis lointain accessible seulement à ceux qui y croyaient.

« Cause toujours, je vais t'en parler de la Patagonie ! »

Minaud ne savait pas ce qu'était cette Patagonie qui revenait si souvent dans les paroles de l'homme. Il imaginait une prairie couverte d'herbes tendres où, parfois, une ânesse l'appelait… Il voyait défiler des images de lumière, des hommes et des bêtes transparents, nés de rien et partis vers le néant d'un azur infini. Il en avait chaud au ventre. Pourtant, Minaud ne savait pas ce qui était beau. Ce terme n'avait de sens que pour les hommes, pour Justin, peut-être. Il comprenait certains mots, comme « hue ! », « avance, vieille bourrique ! », « on rentre chez nous ! ». Pour le reste, il devait se contenter des images fugitives qui couraient dans sa tête, des émotions qui lui pinçaient le ventre. C'était là, au creux de la chair couverte de poils blancs, à cet endroit qu'un moucheron suffisait à déranger, que Minaud logeait l'inaccessible Patagonie.

« La Patagonie ? faisait Justin en levant son verre tandis que les autres hommes riaient… Ah ! pour y arriver, faut être d'ici et d'ailleurs, de partout… D'abord, la mer avec des vagues plus hautes que cette maison, et puis des montagnes, des murs de montagnes qui touchent la lune. Mais une fois que tu y arrives, alors là… »

Sa voix s'enflait d'admiration. Les larmes roulaient sur ses joues. L'émotion lui serrait la gorge. « Alors là… », répétait-il, les bras écartés, les lèvres tremblantes d'un prêcheur de bonne parole.

Dans son verre roulaient les vagues de l'océan. Les montagnes du mur touchaient la lune ; le calendrier des postes ouvrait sa fenêtre sur une vaste prairie. Des bruits montaient du fond de la pièce. C'était d'abord un murmure lointain qui grossissait, puis se transformait en un tumulte : les voix mêlées d'une foule admirative. Le visage de Justin s'épanouissait, se déridait et retrouvait une couleur de jeunesse. Les gens se taisaient. Derrière son comptoir, le garçon de café cessait d'essuyer les verres.

« Là-bas, le soleil est tout noir. Ça ne l'empêche pas de briller. Ah non, il brille et sa lumière de nuit allume les plus belles choses. Des couleurs, comment te dire, des couleurs de vitrail. »

Parfois, un des hommes l'interrompait :

« Et la Juliette, elle devait bien t'en ramener de ta Patagonie ! »

Justin se ridait de nouveau. La lumière quittait ses joues, sa voix redevenait celle d'un ivrogne ordinaire, rauque et grasse. Le rêve patagon repartait vers ses impossibles rivages. Il tombait en poussière qui blanchissait le chinois de grès sur l'étagère.

« La Juliette, tu sais ce que…

– Je sais qu'elle t'en passait pas une, la Juliette. Vu qu'elle mesurait trente centimètres de plus que toi et qu'elle avait des épaules d'homme, elle devait t'en ramener de la Patagonie, comme elle te ramenait du bistrot, à coups de pied au cul ! »

Justin n'insistait pas et gardait les yeux baissés. Dans sa tête défilaient les souvenirs d'un adolescent misérable, qui s'imposaient, éclataient en lui comme des cymbales. Alors, il avait mal et réclamait un autre verre, un rideau pour cacher sa souffrance, une fumée tremblante pour voiler le chemin devant ses pas. Il titubait jusqu'à la carriole, se hissait péniblement sur le banc de planches. Les coups de bâton pleuvaient. Minaud les acceptait : il en recevait depuis qu'il était né et ne savait pas qu'il était possible de vivre autrement.

Minaud vivait dans une petite ville comme on en trouve des milliers sur la carte. Un grain de sable, une marque de la pointe du crayon. Les maisons s'alignaient sagement derrière les trottoirs rectilignes. Des enfants jouaient aux billes sous des marronniers bien taillés qui, les jours d'été, sous un soleil trop rude, rêvaient de forêts profondes. L'ennui était à tous les pas, devant et derrière les volets. Il poussait vers l'église des vieilles femmes qui se donnaient le bras, il retenait dans son étude un notaire filiforme et chauve qui s'imaginait des amours merveilleuses, dans son cabinet un médecin volubile, triste de n'avoir à soigner que des grippes, et entraînait vers le bistrot ceux qui avaient assez de folie au cœur pour espérer une île.

Tous les soirs, Justin était ivre, et tous les soirs, il racontait la même chose, le même paradis, sitôt inventé, sitôt perdu. Il franchissait ses vagues plus hautes que la maison et ses montagnes qui touchaient la lune. Minaud frissonnait quand la voix rauque évoquait le gel qui faisait voler les rochers en éclats. Avec le temps, il en comprenait les incontournables pièges, les sentiers de vitrail ouverts dans la lumière noire. Et chaque soir, cette route du moulin le conduisait en Patagonie. Ses sabots d'or touchaient un sol doux et tiède. Il marchait entre deux haies d'arbres flamboyants. Les ânes patagons lui faisaient des signes. Et quels ânes ! Fallait voir leur poil luisant, leur taille de cheval et leurs sabots d'ébène… L'air sentait la mousse fraîche et le chardon tendre.

« En Patagonie, poursuivait Justin, on mange dans de la vaisselle d'or, parce que l'or est partout, comme des cailloux. Et les femmes ont des dents si blanches, des sourires si beaux que tu restes là, à les regarder, à attendre sans rien oser dire. Allez, hue, vieux Minaud. On fout le camp ! »

La fuite toujours recommencée. Ce n'était pas gai, mais pas triste, non plus. C'était ainsi. Comme si Minaud n'avait pas eu d'autres maîtres que Justin, d'autre vie. Le présent avait gommé le passé et il ne restait que la voix rauque de l'ivrogne qui le berçait au milieu des délices d'un monde dont il se rapprochait à chaque pas et qui se dérobait au moment de le toucher.

« Ouais… On nous avait obligés à partir de Patagonie. Mais on n'avait pas envie. J'en ai vu qui se jetaient dans une mer bouillante. Quand tu as connu ça, tu peux pas recommencer autre chose ailleurs. Non, tu peux pas ! Lorsqu'on est arrivés, on a hissé le pavillon noir, celui des maladies contagieuses. On nous a mis en quarantaine. C'était ce qu'on voulait. Tu dois te demander pourquoi on n'a pas fait demi-tour, la nuit… Sacré malin, ils avaient braqué le canon. Si on bougeait, c'était fini. En morceaux et vogue l'allumette ! »

Minaud pointait ses oreilles vers le bout du chemin. La Patagonie lui restituait une vie antérieure, un de ces moments intenses où le corps a une fièvre de bien-être, où des vagues de douceur coulent sous la peau. Minaud revivait son passé. Il renaissait dans un gras pâturage. Le fermier lui apprenait qu'un âne doit recevoir des coups sans se plain-dre. À peine sevré, des romanichels l'achetaient pour tirer la roulotte à côté d'un cheval poussif et porter Vicenta qui était enceinte. Le voyage était sans but. Minaud avait aimé cette vie errante, ces nuits passées à la belle étoile tandis que les hommes rassemblés autour d'un grand feu fabriquaient des paniers en chantant des airs tristes. Et Vicenta était si belle ! Légère, douce, une plume !

Le temps avait passé. Le bébé de Vicenta était devenu un robuste garçon aux cheveux noirs et épais. Un âne, ça vit longtemps, et comme Minaud était inutile, il fut de nouveau vendu. À Justin. L'errance, encore.

« Hue, vieille bourrique ! »

Minaud se ressaisit. L'image de Vicenta lui avait fait ralentir la cadence.

« Tu ne sais pas, toi, vieil âne imbécile, que les hommes sont de curieuses machines ? dit tout à coup Justin. Ils se dérèglent quelquefois. Mais ils ne le montrent pas, parce que les autres en riraient. Ce sont tous des criminels, les autres ! »

Justin avait beaucoup vécu. Il s'appelait en réalité Auguste Lebrun, mais maintenant qu'il habitait le moulin, Justin lui allait mieux. Ce nom faisait partie de lui et lui servait de masque, comme son béret. Il parlait toujours avec des sous-entendus. Ses mots n'étaient pas ceux de tout le monde.

« Y savent pas, eux, que la vie est une galé-jade. Un mauvais tour que le bon Dieu leur joue. Arrête-toi, vieux Minaud : nous voilà rendus au port… Ce qui tarde, c'est d'aller là d'où l'on ne revient jamais ! »

Parfois, en arrivant au moulin, il voyait bouger une ombre. Il serrait les dents et criait :

« C'est toi, la Juliette ? Tu es revenue ? Attends que je prenne le fusil ! »

Il se précipitait en agitant son bâton avec force et criait des menaces :

« Tu entends, la Juliette, tu me battais parce que tu étais la fille de la maison et moi de l'Assistance… T'en fais pas, j'ai pas oublié ! »

Ces souvenirs lointains, bien avant la Patagonie, torturaient Justin quand il avait bu plus que d'habitude et qu'il n'arrivait pas à trouver la porte du moulin. Alors, il se laissait tomber près de l'âne, sur la litière. Sa tête lourde roulait sur les côtes de Minaud. Ses épaules étaient soulevées de sanglots. Des larmes coulaient sur ses joues et imprégnaient le poil de Minaud. Sa voix perdait son assurance, elle redevenait une voix d'enfant, fluette et plaintive :

« La vérité, c'est que j'ai jamais eu personne pour me défendre. Comme toi, mon vieux Minaud, on a toujours été seuls, tous les deux, seuls ! On peut te vendre, tu peux partir ; tu n'es à personne.

152

On ne t'attend pas et tu n'as jamais de reproches. Tu peux te tuer, d'ailleurs, c'est tout ce qui te reste. Tu comprends ce que ça veut dire ? »

Non, il ne comprenait pas, mais l'âne n'aurait pas cédé sa place pour toute la bonne herbe de Patagonie. La chaleur de l'homme se mélangeait à la sienne, et son cœur, dans sa poitrine couverte de poils secs, accélérait. Au bout d'un moment, Justin se calmait. Les ronflements remplaçaient sa voix d'enfant triste ; ses épaules s'immobilisaient, lourdes contre le flanc de l'âne. De toute la nuit, Minaud ne bougeait pas malgré les fourmis dans ses pattes. Il évitait de secouer la tête et de faire frissonner son cuir, même si les mouches le harcelaient. Ces heures-là valaient bien quelques coups de bâton et une vie d'attente.

Le lendemain, Justin secouait la paille de sa veste et on repartait. Hue !… La Patagonie les attendait. Quel âne était plus heureux que lui ?

Et puis, Justin eut un caprice. Une folie que seuls les hommes savent inventer. Mutalie vint s'installer chez lui. Coquette avec ses cornes lisses et pointues, ses sabots cirés, une barbichette de chèvre prétentieuse. Pas plus haute qu'une botte, tellement délicate, quand elle levait vers Justin ses yeux dorés et qu'elle passait sa langue rose sur ses lèvres de

153

confiture ! Fine, séduisante et capricieuse. Au bout de deux jours, Justin ne vit qu'elle, une passion qui allumait son regard.

Dès lors, fini les vagues plus hautes que la maison et les montagnes qui touchaient la lune. La Patagonie se referma sur ses trésors et Justin en oublia même d'aller au bistrot. Il restait assis devant le moulin et regardait brouter sa chèvre qui avait le droit de monter à côté de lui sur la carriole, de rentrer dans le moulin et de grimper sur la table. Il lui achetait des bonbons, rien n'était assez beau. Minaud n'avait plus de sabots d'or, la lumière noire et les couleurs de vitrail lui manquaient.

« Dépêche-toi, vieil âne, tu ne vois pas que notre petite tremble de froid ? »

Mutalie se mettait aussitôt à trembler ; et d'un geste très doux, Justin posait sa veste sur le dos immaculé de la chevrette. Les soirs de grande ivresse, il oubliait de se mettre en colère contre Juliette… Les ombres du vieux moulin ne le tracassaient plus. Ses yeux brillaient d'un feu que Minaud redoutait, des flammes qui le consumaient tout entier.

Alors, tout le froid de la terre tomba sur Minaud. Un glaçon grossissait dans son cœur, le dévorait, éclatait dans ses membres, dans sa tête en gerbes d'épines rouges. L'âne se forçait à revoir l'image de Vicenta. Il tendait l'oreille pour entendre, au fond de sa mémoire, les chants des hommes, la nuit, leur tristesse qui était surtout du plaisir. Mais ces hommes de nulle part avaient brisé leurs guitares. Le glaçon raidissait ses pattes, brûlait son ventre. Justin oubliait de changer sa litière et ne l'accompagnait plus jusqu'à l'étable.

« Tu es laid, toi, vieux Minaud. Tu pues le crottin ! »

Si une telle parole avait été adressée à lui, Minaud en aurait éprouvé une grande joie, mais Justin ne le regardait même pas.

Une haine d'âne ne se voit pas. Il la porte en lui, brûlant contre son cœur, gênant sa respiration. Chacun de ses pas est un pas vers son accomplissement. Minaud ne montrait rien. Ses battements d'oreilles pour chasser une mouche au coin de l'œil, ses piétinements rapides lorsqu'un chien venait l'agacer, les mouvements de sa grande lèvre supérieure pour attraper une feuille tendre étaient-ils à peine plus appuyés que d'habitude ?

Le coup de pied de Minaud partit quand la chevrette passa derrière lui. Précis, meurtrier, un coup de pied d'âne. Mutalie roula sur la litière souillée. Elle se blessa sur la râpe des pierres ; le sang tacha son poil immaculé, rougit sa barbichette. Minaud en éprouva un soulagement intense, l'impression d'être léger, de voler dans un air doux sur un nuage lumineux. Il reprenait sa place : de tout temps les ânes ont été plus forts que les chèvres.

Justin arriva en courant, se précipita sur la chèvre assommée, la prit dans ses bras comme une fillette et la consola de sa voix râpeuse. Mutalie bougea enfin la tête et tourna vers lui son regard doré.

« T'en fais pas, ma belle ! Je vais le faire payer, ce vieil âne méchant. »

Il emporta Mutalie au moulin et revint au bout d'un moment, le regard fixe. Minaud frémit. Il eut la tentation de s'échapper, mais préféra faire face et se laissa attacher à sa place. Justin sortit et revint avec un grand couteau. L'âne eut peur et tremblait en tirant sur sa chaîne qui ne cédait pas.

« Ah, vieille bourrique ! Tu croyais qu'on pouvait frapper ma belle… »

Le couteau tourna au-dessus de Minaud, s'abattit et trancha. Minaud ressentit une vive brûlure, puis une autre, moins forte, celle-là, et voilà ses oreilles coupées comme des feuilles de betterave ! Le sang giclait, gargouillait dans sa tête. La douleur battait le tambour à ses tempes, le fracassait. Il tremblait sur ses pattes grêles.

Les jours suivants, il porta sa fièvre avec courage. Le feu des oreilles gagna son corps tout entier. Les yeux mi-clos, pétri de douleur, il sentait sa chair, ses muscles se transformer en un liquide visqueux et nauséabond. Il sombrait dans des gouf-fres sombres. Le sang qui s'était arrêté de couler formait de grosses plaques noires collées à ses poils. Son cœur s'emballait, tapait si fort qu'il écla-tait dans sa poitrine comme une boule brûlante. Par-fois, il s'arrêtait, et l'âne sentait une masse froide grossir en lui, raidir ses membres. Alors, Minaud sur-sautait et respirait très vite comme s'il avait couru une journée entière. Les montagnes qui touchaient la lune et le soleil noir de Patagonie le tinrent en vie.

Un soir qu'il avait beaucoup bu, Justin vint à l'étable. Quand Minaud entendit son pas hésitant, ses ongles racler le bois de la porte, il ouvrit enfin les yeux sur la vie. Justin avait sa tête des jours de solitude et de détresse. Il avait oublié sa colère et regardait Minaud comme s'il avait toujours été ainsi, sans oreilles.

« Quand tu es de l'Assistance, dit-il de cette voix fluette qu'il trouvait au fond de son verre, c'est que ta mère t'aimait pas. Alors, le reste, qu'est-ce que ça peut faire ? »

Minaud tourna lentement sa tête vers l'homme. Il n'avait pas tout compris, mais il savait que la chè-vre n'avait pas éloigné les anciens fantômes.

« Et tu crois que ça va s'arranger. Mais quand c'est raté… »

Une tache blanche se découpa dans la porte. Mutalie bêla. Minaud remarqua que Justin n'avait plus autant de hâte qu'autrefois pour la rejoindre. Que s'était-il passé pendant ces jours de fièvre et de mort ? L'homme passa sa main sur le dos de Minaud :

« Tu comprends bien qu'elle peut pas savoir… Tout le monde lui donne des bonbons, et ceux des autres sont meilleurs que les miens. Je te dis, quand c'est raté… »

La chèvre ne pouvait pas savoir que Justin était excessif, avec les bêtes comme avec les hommes. L'enfant de l'Assistance, martyrisé par une Juliette qui le faisait travailler, rejeté de famille en famille pour aboutir dans ce moulin, n'acceptait pas l'aumône du cœur. Même le vin ne lui faisait pas oublier son orgueil et cette nature ardente qui pourtant le torturait.

Minaud sentait la main qui courait sur son poil, et entendait la voix rauque qui lui parlait, les meilleurs des remèdes… Au bout de quelques jours, la fièvre s'estompa, l'appétit lui revint. Il but l'eau souillée d'un seau oublié et s'en alla dans la prairie à côté du moulin. Un âne, ça ne se laisse pas mourir pour si peu ! Mutalie, qui broutait, ne leva même pas la tête quand il s'approcha d'elle… Justin l'attela à la carriole et hue, vieux Minaud ! Il prit le chemin du village de son pas rapide et nerveux, comme s'il en avait toujours été ainsi, sans oreilles, le museau démesuré, les yeux globuleux, des boules de billard.

Au village, il fit sensation. Les gens s'attroupèrent autour de lui. Les plaisanteries fusaient et s'adressaient surtout à Justin :

« Tu as voulu les manger en salade ?

– Tu te rappelles quand la Juliette te les avait tellement frottées qu'elles étaient devenues toutes bleues ? »

Les enfants furent les plus cruels. Ils tournaient autour de Minaud en poussant des cris aigus et lui jetaient des pierres. Mais l'âne en avait vu d'autres ! Il ne bougea pas quand un grand roux lui posa sur la tête un chapeau de feutre orné d'une plume de faisan. Ses pensées étaient ailleurs ; il arrivait en Patagonie et ses yeux étaient éblouis par le soleil noir et les couleurs de vitrail.

Puis on s'habitua. Les enfants trouvèrent d'autres jeux et Minaud n'intéressa plus personne…

Justin buvait de plus en plus. Les yeux d'or de sa chèvre lui semblaient moins lumineux. Il ne s'occupait plus d'elle avec autant de sollicitude. Un soir, en la regardant se laisser caresser par un groupe d'enfants, il dit :

« Quand on est aussi belle, on peut pas savoir ce que c'est d'être seul. Toi, vieux Minaud, tu le sais parce que tu es laid et qu'on te caresse pas. »

La laideur les rapprochait et, du même coup, éloignait la chèvre. Sa beauté, sa grâce, ses caprices, tout ce qui avait séduit l'ivrogne devenait des sujets de rejet. Un soir, il vint en titubant se coucher près de l'âne et, laissant aller son corps contre le flanc chaud de la bête, dit :

« Juste avant de partir au régiment, ils m'ont mis chez un vieux. Jurançon qu'il s'appelait. Un homme tout rond et sans un cheveu sur le caillou. Il vivait avec sa femme qui était si petite, si menue que tu la voyais pas dans la maison. Pourtant, c'était elle qui commandait. Quand Jurançon s'endormait dans la cave, elle avait tôt fait de le réveiller. C'est lui qui m'a donné le goût du vin et il a bien fait, parce que sans ça, qu'est-ce qui me resterait ? »

Un matin, un homme arriva avec sa camionnette. Il chargea Mutalie, donna une poignée de billets à Justin et s'en alla. Minaud regarda partir le véhicule : il avait perdu ses deux oreilles pour rien.

« Elle était trop belle pour nous ! conclut Justin. Et trop volage. Et puis, je l'aimais plus… »

Minaud pensa que Justin était comme tous les hommes qu'il avait croisés durant sa longue vie. Comme les gitans qui chantaient sous la lune, comme les passants devant le bistrot, comme ce petit garçon accroupi près du mur éclatant et qui regardait, émerveillé, un lézard gris se chauffer au soleil. Il n'y avait

rien à comprendre dans ce qu'ils attendaient ou cherchaient, rien à retenir de leurs colères ou de leurs
joies, de leurs douleurs ou de leurs plaisirs. Finalement, Minaud n'aurait pas échangé sa condition pour
la leur. Pourtant, le bonheur de retrouver son Justin
se voilait d'une appréhension : le bref passage de la
chèvre avait-il à tout jamais effacé la Patagonie ?

Les jours s'en allaient, ternes et identiques.
Un matin, Minaud s'étonna de ne pas entendre le
pas de Justin et sa voix rauque. Il sortit de l'étable,
qui n'était jamais fermée. L'air frais d'automne le
surprit. Il entendit des gémissements dans le moulin. L'âne poussa la porte et trouva l'homme étendu
sur le sol au milieu d'une mare de sang. Il resta un
moment sans comprendre, puis passa sa langue sur
la figure blême. Justin se mit à bouger et tourna
vers lui un regard vitreux :

« Minaud ! Tu es là ? Brave bête, je vais
mourir. »

Justin tenta de se mettre sur ses jambes, mais
n'y parvint pas. Minaud prit le col de la veste entre
ses dents plates et tira. Justin réussit alors à se dresser sur ses genoux.

« Brave Minaud ! Tu me sauves la vie. »

Une fois debout, Justin s'affala sur le dos de
l'âne, qui s'était accroupi. Ainsi chargé, Minaud s'en
alla vers le village d'un trot rapide. Les secousses

arrachaient des gémissements de douleur à Justin qui vomissait encore.

Au village, Minaud fut aussitôt entouré de gens qui commentaient l'état de l'ivrogne. Une voiture arriva avec une lumière bleue qui clignotait sur le toit. Justin fut chargé par des hommes vêtus de blanc. Personne ne s'occupa de Minaud qui retourna à la prairie du moulin. L'hiver arrivait. Le vent soulevait des tourbillons de feuilles mortes. Jamais Minaud n'avait eu aussi froid.

Les jours étaient de plus en plus courts, de plus en plus gris. Rares étaient les visites au moulin. Minaud restait de longues heures à regarder le chemin. Un jour, tandis qu'une flaque de soleil luisait sur l'étang, une voiture s'arrêta près de la pâture. Deux hommes en sortirent, firent le tour de la bâtisse, puis s'arrêtèrent à la hauteur de Minaud :

« Qu'est-ce qu'on va en faire maintenant que l'autre est à l'hôpital ? »

Minaud leva sur eux ses gros yeux. Il n'avait pas compris ce que les hommes avaient dit, pourtant il avait senti une vague menace dans ces propos qui semblaient anodins.

« L'abattoir, c'est peut-être le plus grand service qu'on pourrait lui rendre…

– On le donnera à l'équarrisseur. En contrepartie, il fera un geste pour la caisse des écoles… »

L'âne de Patagonie

C'était décidé. Les hommes s'approchèrent de Minaud qui les regardait toujours. Malgré la menace, la présence de ces hommes lui réchauffait le cœur. Sa solitude, au fond de la vallée, commençait à lui peser.

« Et puis non ! dit le plus jeune des deux. C'est trop stupide de tuer cet animal. J'ai un pré, moi. Il peut y finir ses jours en paix. Vous savez, près de la maison de retraite.

– Tu veux dire que…

– Oui, je l'adopte. C'est bien assez grand pour lui et je n'en fais rien. Il l'a mérité. Les enfants seront contents. »

Minaud fut conduit dans l'enclos et l'attente recommença, une attente d'âne, infinie, résignée. Des enfants lui apportaient de l'avoine, le brossaient, le cajolaient. Ils grimpaient sur son dos. Les vieux de la maison de retraite venaient lui parler et oublier leur solitude en sa compagnie. Ils racontaient, eux aussi, leur passé, leurs guerres, leurs victoires et leurs défaites. Minaud dormait dans une étable bien fermée au froid et sur de la paille sèche. Il n'avait jamais été aussi bien et pourtant, il s'ennuyait…

L'hiver arriva. L'air glacé amplifiait les voix. La neige vint et Minaud resta dans son étable, bien au chaud et au sec. Il attendait ainsi, dans un demi-sommeil, que la flaque de lumière du soupirail s'efface, qu'elle revienne, et s'efface de nouveau. Il ne savait pas ce qu'il attendait, mais quelque chose en lui n'acceptait ce quotidien morne que pour une sorte de renaissance nécessaire. La certitude que sa vie ne pouvait pas finir ainsi.

Il ne pensait plus. Les anciennes images avaient fui pêle-mêle, emportées par le vent noir de l'oubli. Mais cette torpeur n'était là que pour mieux l'aider à supporter le temps. Même s'il s'ennuyait, il n'était pas désespéré.

Le printemps vint. Les enfants conduisirent Minaud dans la pâture et il se régala des premières pousses pointées entre les touffes de foin sec de l'été dernier. Par moments, son regard s'arrêtait sur la route qui longeait le pré et s'en allait vers la vallée. Minaud savait qu'elle conduisait au village, et du village au moulin.

Il attendit plusieurs jours, peut-être un mois, peut-être davantage. Cela n'avait pas d'importance, il ne mesurait pas la durée. Une minute, une heure, c'était pareil. Le grand soleil était revenu, semant des fleurs d'or dans l'herbe verte. La route lui fit un signe, il ne sut pas résister.

Quand il arriva au village, les gens s'étonnèrent de le voir et se retournèrent sur son passage :

« Tiens, l'âne de Justin ! » Minaud n'y prêta aucune attention. Il marchait de son pas raide d'âne entier que personne ne fait changer d'avis. Quand il arriva devant le bistrot, il s'arrêta net, le cœur battant. Une voix, une voix rauque s'écriait de l'intérieur :

« Ah, c'est que pour y arriver, c'est pas facile, mon gars ! Tu te rends compte ? La Patagonie que ça s'appelle. Et c'est pas pour tout le monde. D'abord, les montagnes plus hautes que le ciel et qui touchent la lune. Et puis la forêt avec des tunnels sous les grandes fougères… Mais quand tu y arrives, alors là… »

Minaud se mit à braire, sa longue tête sans oreilles tournée vers l'ombre de la porte. Il trépignait d'impatience. Justin apparut à la lumière. Un Justin moins ridé qu'avant, les joues pleines, presque jeune. Quand il vit Minaud, son visage s'illumina. Il s'écria :

« Qu'est-ce que tu crois que cette vieille bourrique… Comme si je m'y attendais ! »

Ses yeux étaient mouillés d'émotion. Il tendit sa main vers Minaud qui la lécha de sa grosse langue râpeuse. Il faisait un beau soleil de mai, plein de cris d'hirondelles.

« Allez, viens, vieux Minaud, on rentre chez nous… »

Ils partirent. Justin avait laissé sa main sur le dos de l'âne qui en sentait le poids si agréable.

« Ah, mon bon Minaud, c'est que j'étais retourné là-bas, en Patagonie. Je pouvais pas t'emmener. Tu comprends que je pouvais pas ! »

S'il comprenait ! La Patagonie, c'était ce chemin qui s'en allait vers le moulin, c'était cette main posée sur son dos, c'était ce soleil qui éclatait sur les collines et étalait au creux du vallon une écharpe d'un bleu si pur qu'on aurait voulu le garder au fond de ses yeux comme une eau précieuse. Minaud posait ses sabots d'or dans un tapis d'une herbe comme il n'y en avait que là-bas.

« Et tu as attendu que ton vieux Justin revienne ! Sacrée bourrique, va ! Je me disais : "Ce vieux Minaud doit pas être bien loin ! Pour sûr qu'il m'aura attendu, parce que lui et moi, on a nos habitudes." »

Des bouffées de chaleur gonflaient la poitrine de l'âne et son cœur battait fort. C'était peut-être ça que les hommes appelaient le bonheur et qu'ils cherchaient d'étape en étape, de chèvre blanche en lointaine Patagonie, et dont ils ne trouvaient qu'un pâle reflet au fond de leur verre.

X

L'écureuil dans les nuages

DANS SA VIE, Arsène avait eu de la chance. Une de ces chances qui ressemblent étrangement à leur contraire. Mais il ne se posait pas ce genre de questions, son cerveau de rongeur n'avait pas accès à l'entendement supérieur, celui du raisonnement, de la conscience d'être, des émotions. Il vivait, c'était l'essentiel.

Des pulsions profondes griffaient parfois sa quiétude. Alors, il restait des heures collé au grillage de sa cage. Des soleils chauds brillaient devant ses yeux, des matins clairs et scintillants de rosée se dessinaient sur le fauteuil de M. Cellier. Il sautait d'une branche à l'autre, aérien, agile. Il volait vers des noisetières chargées de fruits délicieux.

Depuis longtemps, l'écureuil avait perdu la notion des saisons, des jours et même du danger. Prisonnier protégé par sa prison, il ne savait plus humer le vent. Son instinct de fuite s'était émoussé depuis cet hiver si long que ses provisions n'avaient pas suffi. Sa première vie d'animal sauvage s'était terminée au pied d'un arbre. Il n'avait pas mangé depuis longtemps et n'avait plus la force de résister à cette torpeur qui gagnait ses membres.

Arsène fut trouvé inanimé par M. Cellier, un vieil homme très digne, toujours impeccable. Il naquit ainsi à sa deuxième vie auprès d'un feu, dans une cage toute neuve, avec cette insupportable odeur d'homme. Les graines huileuses que M. Cellier lui apportait chaque jour eurent tôt fait de lui redonner des forces, pourtant Arsène resta deux semaines prostré au fond de sa prison. Il sursautait au moindre bruit de porte et tremblait de terreur lorsque deux visages s'approchaient du grillage, celui du vieil homme et celui d'un enfant blond à la voix aiguë.

Avec le temps, l'écureuil s'habitua à sa cage, à M. Cellier qui restait des heures assis à son bureau auprès d'un feu dont l'animal sentait la douce chaleur. Comme il avait besoin de mouvement, M. Cellier lui avait installé une roue qu'il faisait tourner inlassablement, chaque barreau étant comme une branche sur laquelle il marchait.

Guillaume venait souvent voir son animal. Il parlait longtemps avec son grand-père et Arsène regardait ces étranges créatures, l'une agile et vive, l'autre lente aux gestes mesurés.

Guillaume posait à M. Cellier des questions qui n'étaient pas de son âge :

« Dis, papy, pourquoi tu es vieux ?

– Parce que je suis né il y a bien longtemps.

– Mais pourquoi qu'on vieillit ? On pourrait rester jeune tout le temps, ce serait mieux !

– Cesse donc tes questions, tu me fatigues.

– Et alors, tu vas mourir bientôt ?

– Je ne suis pas pressé.

– Tu n'as pas peur ?

– Peur de quoi ?

– De la mort.

– Nul ne peut imaginer la mort.

– Et Arsène, tu ne crois pas qu'il s'ennuie, tout seul dans sa cage ?

– Un animal ne s'ennuie pas.

– Qu'est-ce que tu en sais ? Moi, je te dis qu'il s'ennuie ! »

Guillaume tapote le grillage de la porte. L'ennui de cet animal le tracasse. Il pense aux longues heures vides de l'école, à ces après-midi qui n'en finissent pas, à cette sensation que le temps s'est arrêté et qu'il ne repartira jamais.

M. Cellier se lisse la moustache du bout des doigts. Il sait que les paroles de son petit-fils cachent une terrible détresse. Mais comment l'aider ?

169

Comment le sortir de ce souvenir qui ne le lâche pas, qui s'agrippe à lui, le mord sans cesse ? Avec l'accident, ce garçon a acquis une lucidité trop lourde pour lui, il a découvert trop tôt l'incroyable absurdité de ces jours qui passent, de ce manège qui débouche sur le néant. L'enfant sait que la mort est omniprésente, qu'elle frappe sans prévenir, à l'aveuglette ; il a aussi découvert que l'image de son grand-père qui somnole dans son fauteuil en attendant un sommeil plus profond est sa propre image projetée dans le temps, que chaque pas qu'il fait est un pas vers ce fauteuil.

Sous son apparence d'ange blond, Guillaume n'est pas un enfant comme les autres. Ses maîtres le savent versatile, souvent violent. Ses excès se terminent toujours par de longues crises de larmes. Tout a commencé ce jour de mai où les fleurs du coucou ouvraient leurs clochettes jaunes au soleil nouveau. Comme Arsène, l'écureuil, mourut une première fois sur la neige, Guillaume, le petit garçon calme et souriant, mourut dans un accident de voiture en même temps que son père et son frère. Un accident atroce dont les victimes n'étaient pas responsables : le destin aime l'injustice… Ils roulaient tranquillement sur une route de campagne. Un camion qui venait en face rata le virage et écrasa la voiture… Guillaume n'oubliera jamais le

170

bruit infernal du choc, des tôles qui se plient, le cri de son père. Ils étaient coincés dans cet amas de ferrailles. Son frère ne bougeait plus, la tête couverte de sang. Son père râlait en disant qu'il avait mal. Guillaume était indemne. Pourquoi le destin l'avait-il mis de côté ? Pour d'autres amusements ?

Guillaume a mis plusieurs mois avant de retrouver la parole. Son sommeil est peuplé de terribles cauchemars. L'horreur s'est imprimée dans ses pensées et a pris toute la place. Sa mère ne lui a pas été d'un grand secours. Effondrée, incapable de surmonter sa propre peine, elle donne l'image de la faiblesse, du renoncement. M. et Mme Cellier ont pris leur petit-fils chez eux, laissant leur fille à sa désespérance.

« Dis, papy, je peux prendre Arsène ?
– Un de ces jours, tu vas l'échapper et tu pleureras.
– Non, je ne l'échapperai pas. »

Guillaume ouvre la cage, prend l'écureuil dans ses mains. Arsène a l'habitude de ces caresses. Le contact de cette peau d'homme lui est agréable. D'ordinaire, l'enfant le garde quelques minutes, puis le remet dans la cage avant de passer à un autre jeu. Ce matin, peut-être à cause de ce grand ciel bleu qui drape les collines vertes, il décide de l'emmener dehors. M. Cellier laisse faire : Guillaume va un peu mieux, ce n'est pas le moment de le contrarier pour un écureuil.

La lumière éblouit l'animal. Les arbres, le vent, les oiseaux qui traversent le ciel le terrorisent. Sur un chêne voisin, un écureuil fuit, saute de branche en branche, pattes écartées comme des ailes. Quel animal étrange ! Où va-t-il ? Pourquoi tant se presser ?

Guillaume traverse le pré et arrive à la châtaigneraie de son grand-père, à l'endroit même où Arsène fut trouvé sur la neige. Une pie posée sur une branche basse regarde le garçon de son œil noir sans reflet. Les fougères respirent un air chaud chargé d'odeurs de terre et de mousse. Guillaume s'assoit, pose l'écureuil sur les feuilles mortes.

« Va, Arsène… Je dirai que je t'ai échappé, je veux plus que tu t'ennuies dans ta cage. Tu es libre. »

Arsène s'est accroupi en proie à un tremblement de terreur. Il regarde cet espace qui n'en finit pas, cette immensité d'arbres et de feuilles pour laquelle il n'est pas fait. Arsène n'est qu'un animal domestique qui passe ses journées à faire tourner une roue inutile.

« Va, je te dis. »

L'enfant pousse l'écureuil qui tremble toujours, plante ses griffes dans le sol pour résister à la

172

main qui l'éloigne. Alors, Guillaume le pose sur une branche.

« Va, petit Arsène. Tu resteras dans la forêt et je viendrai te voir. Tu seras mon ami d'ici. Je te raconterai ce qui se passe chez les hommes. Et puis, peut-être que, du haut des arbres, tu verras le bon Dieu... »

Guillaume s'est éloigné de quelques pas et regarde l'écureuil.

« Salut, petit Arsène... À demain ! »

L'enfant s'en va en courant. Arsène regarde autour de lui avec terreur. Il veut faire un pas sur la branche, mais ses griffes qu'il n'aiguise plus depuis des années n'ont pas de force et ne se plantent pas dans l'écorce. Il glisse, tombe sur le sol comme un paquet.

Le silence de la forêt est coupé de bruits qui le font sursauter. Pourquoi Guillaume ne vient-il pas le chercher pour le ramener dans sa cage ? La vie sauvage n'est plus pour lui. Un renard sort du fourré, s'arrête, tourne vers lui son fin museau. Il hésite un instant devant cet écureuil qui ne fuit pas, s'approche, prudent. Arsène court jusqu'au tronc le plus proche, s'élance, dérape. Il réussit cependant à grimper assez haut pour échapper au renard. L'effort qu'il vient de fournir l'a mis hors d'haleine. Son instinct lui commande pourtant de monter plus haut dans l'arbre et d'aller sur les branches les plus fines où aucun autre animal ne peut le suivre. Il s'agrippe à l'écorce, lourd et maladroit. Son équilibre est instable. À force de vivre dans sa cage, il a aussi perdu ce sens indispensable à sa survie. Il glisse, chavire, tombe sur la mousse.

Sous le soleil, le pré immense l'attire. Au bout, il y a des maisons, des hommes rassurants, des cages pour les écureuils. Arsène n'est plus fait pour ces espaces. La liberté nécessite des pattes musclées, des griffes pointues et toutes ces choses que la paresse et le laisser-aller détruisent. La liberté n'est pas gratuite : chaque seconde est une victoire, mais elle apporte une jouissance que rien au monde ne peut remplacer.

Guillaume rentre chez lui en sifflotant. M. Cellier s'en étonne et s'aperçoit qu'il n'a plus l'écureuil.

« Je t'avais bien dit que tu le perdrais !

– J'aime pas qu'on enferme les animaux dans des cages ! »

M. Cellier lisse sa moustache du bout des doigts dans un geste qui lui est habituel. Guillaume s'éloigne sans répondre. Depuis l'accident, il ne supporte plus d'être enfermé dans un ascenseur. Il change d'avis à tout propos. Son esprit ne s'arrête sur rien.

M. Cellier prend sa canne et sort. Arsène ne doit pas être très loin et il veut le récupérer. Il ne s'est pas particulièrement attaché à cet animal, mais Guillaume, qui l'a libéré, ne manquera pas de le réclamer ce soir et de faire de son absence un prétexte de colère. L'homme soupire. Pourquoi ce grand malheur est-il venu assombrir ses vieux jours ? La perte de son gendre et de son petit-fils pèse en lui comme une chape de plomb qui lui courbe les épaules. Quant à Cécile, sa fille, la douleur l'a précipitée au fond d'un abîme. M. Cellier tente chaque fois qu'il le peut de la raisonner, de l'aider, mais Cécile ne veut pas d'aide. Elle ne croit plus en rien. Dieu l'a trahie ; le diable ne vaut pas plus cher, mais il apporte des faux-semblants, des faux plaisirs qui cachent les vraies peines.

M. Cellier arrive à l'orée de la châtaigneraie, cherche l'écureuil. Il l'appelle, pensant que l'animal apprivoisé reconnaîtra son nom, mais rien. Pourtant, Arsène n'est pas loin. Au bout d'une branche qui se balance au vent, il tente de garder son équilibre, de ne pas tomber. Il a vu l'homme, l'a reconnu et son cœur s'est emballé. Un immense tumulte lui brouille la vue. L'envie de se laisser glisser sur le sol et retourner dans la cage, ne plus avoir mal aux muscles, ne plus risquer les crocs du renard ou du chat, vivre comme avant en faisant tourner indéfiniment la roue de plastique, le tente tellement. Et pourtant, au moment de sauter dans le vide, son instinct le retient caché. Il laisse l'homme faire demi-tour, s'en aller en s'appuyant de sa canne vers la maison au toit bleu, si petite maintenant que l'animal se demande comment il a pu y contenir.

Les heures passent. Le soleil descend sur l'horizon et Arsène s'étonne de cette grosse boule qui incendie le ciel. Son estomac est vide. Il se déplace lentement sur la branche, descend sur le sol à la recherche de nourriture, mais il n'y a pas de graines de tournesol ou d'arachide comme dans la cage. Il avance sur la mousse, entre les vieilles feuilles, toujours rien. Il grimpe à un noyer. Arsène plante ses incisives tranchantes dans une noix verte, une puissante amertume remplit sa bouche. Il n'y a donc rien à manger dans cette forêt ?

La nuit est venue. Arsène s'en étonne. Elle s'est posée lentement sur les collines, a gagné chaque repli dans un calme souverain. Chez M. Cellier, la nuit tombait d'un coup, lorsque l'homme appuyait sur un bouton. Les bruits du soir deviennent très nets, un grésillement dans lequel Arsène ne reconnaît pas les dangers. Son instinct lui commande d'aller se placer sur la branche la plus haute et la plus fine.

Il s'est assoupi sous la lune immense qui s'est ouverte sur les arbres comme un parapluie. Dans cette semi-léthargie, des images traversent son cerveau, celle d'un enfant blond qui lui a rendu la liberté, celle d'un vieil homme qui voulait la lui reprendre. Tout à coup, la branche est violemment secouée, Arsène perd l'équilibre et tombe sur d'autres branches qui le retiennent. Il voit, au-dessus de lui, deux yeux jaunes pleins de lumière. Alors, il saute dans le vide en véritable écureuil. Sa queue touffue le guide dans l'air et il tombe sur un autre arbre où ses griffes réussissent à se planter. Les yeux jaunes ne l'ont pas suivi.

Le jour se lève, plein d'oiseaux et de bruits. La brume s'étire sur le pré. De violents tiraillements d'estomac lui rappellent qu'il doit manger, mais il n'y a aucune graine dans ce bois, il n'y a rien. Son passage chez les hommes a fait de lui un animal domestique, dépendant. C'est ainsi : l'homme pervertit ce qu'il approche. Le plus sauvage des renards ne revient pas indemne de quelques années de captivité. Devenu incapable de chasser, il devra se contenter de proies faciles, poules dans un enclos, lapereaux pris au terrier. Un fusil aura tôt fait de rendre inoffensif cet animal que les hommes ont rendu nuisible.

Arsène marche à découvert. Un gros oiseau de proie tourne au-dessus de la clairière, si haut, si loin que l'écureuil n'y prête pas attention. Autrefois, il savait que le danger pouvait venir de partout. Ces réflexes de survie ont disparu dans la cage. Il marche sur la mousse de la clairière. Les châtaignes de l'année passée sont pourries. Il a oublié que les jeunes pousses de chêne sorties du gland rouge sont comestibles, que ces longues graminées aux épis verts nourrissent peu, mais suffisent, que les pommes de pin, hérissées d'écailles, cachent de minuscules graines qui sont un régal d'écureuil. Sa faim ne lui met en tête que des images de tournesol et d'arachide. Il goûte la mousse verte, et l'odeur de terre pourrie lui remplit la bouche.

Le rapace a resserré ses cercles dans le ciel clair. Tout à coup, les ailes repliées, il se laisse tomber, bec et serres en avant, flèche meurtrière à qui la proie n'échappe jamais. Arsène n'a pas vu l'oiseau fondre sur lui. Le choc l'assomme net, et le grand busard repart vers l'azur infini. Une queue d'écureuil flotte sous lui comme une écharpe dans le vent.

Une voiture s'arrête devant la maison de M. Cellier. Guillaume court vers elle et se jette dans les bras de sa mère. Cécile est une petite femme brune aux cheveux courts. Avec son mari, Arnaud, elle avait pris la succession de M. Cellier dans le cabinet d'expertise comptable. Les jours passaient, bulles de bonheur remplies de projets. Guillaume était un petit garçon espiègle qui imitait en tout son frère aîné, Lionel.

178

Le jour de l'accident, Cécile devait aller avec eux. Au dernier moment, un coup de téléphone de son amie Laurence en avait décidé autrement : Laurence lui avait demandé d'aller avec elle choisir une robe pour le mariage de Jean-Guy, leur ami commun, des frivolités tandis que le destin disposait ses pions. Arnaud emmenait les enfants assister à un match de tennis. La voiture s'était engagée dans l'allée, s'était arrêtée au portail, puis avait fait marche arrière. Arnaud était descendu.

« J'avais oublié de t'embrasser ! » avait-il dit en riant à Cécile.

Sans cette manœuvre du dernier moment, l'accident ne serait pas arrivé. Leur voiture ne se serait pas trouvée dans le tournant fatidique en même temps que le camion, mais dans la longue ligne droite qui suit. Cécile a fait vingt fois la route : elle en est persuadée. Arnaud et Lionel sont morts pour un baiser.

Cécile s'est définitivement brouillée avec Dieu. Un monde commandé par l'absurde, sans finalité ni justice, ne peut être issu d'une volonté divine. Les étoiles sont orphelines, l'univers n'a plus de père.

« Viens, maman, je t'emmène voir quelque chose… »

Guillaume tire sa mère par la main vers le pré et la châtaigneraie. Il porte un petit sac de grains.

« C'est pour Arsène !

– Qu'est-ce que tu en as fait ?

– Je lui ai rendu sa liberté. Il s'ennuyait dans sa cage, tu ne trouves pas ?

– Je ne sais pas si l'on s'ennuie dans une cage. La liberté peut aussi être ennuyeuse. »

Cécile marche dans l'herbe en donnant la main à son garçon. Elle sent ses doigts contre sa peau. Ce contact, à cette heure, lui chauffe le cœur. Cécile a tenté de fuir son immense désespoir par tous les moyens, les bons et les mauvais, l'alcool, la fête et le travail. Elle dirige le cabinet avec les conseils de M. Cellier et se montre une femme d'affaires avisée. Parfois, l'envie d'aller se jeter sous un train est si forte qu'elle boit jusqu'à rouler sous la table. Elle se réveille avec un désir de vengeance, une envie de meurtre, mais contre qui diriger ses coups ? Contre le vent qui remue une persienne, contre le temps qui apporte la pluie et le soleil, contre les églises qui distillent du mensonge ?

« Allez, viens maman, on va courir. »

Elle court avec Guillaume. L'herbe cingle ses mollets. Ce petit garçon qui rit en roulant dans la pente, c'est tout ce qui lui reste du naufrage de sa vie, le souvenir, la relique. Et M. Cellier a raison de dire qu'on ne doit pas ajouter au malheur présent un autre malheur, celui de cet enfant qui doit réapprendre à vivre.

« Tu sais, maman, Arsène vit dans la forêt parce que c'est la place de tous les écureuils. Tous les jours, j'irai le voir ; je lui apporterai des graines et il montera au-dessus des arbres pour me dire si le bon Dieu est content.

– Le bon Dieu ?

– Oui, le bon Dieu. Tu penses bien que c'est lui qui m'a dit de rendre la liberté à Arsène. Papy m'a dit que chaque fois que je faisais une bonne action, c'était le bon Dieu qui me la soufflait.

– Et quand le bon Dieu fait une mauvaise action, qui la lui souffle ? »

L'enfant se tait, songeur. Ils sont arrivés au bord de la châtaigneraie. Un gros oiseau de proie passe au-dessus des arbres, emportant un petit animal dans ses serres. Guillaume le montre du doigt. Il court devant sa mère et appelle Arsène. Sa petite voix flûtée résonne comme dans une grotte. L'écureuil ne vient pas. Guillaume répand les graines sur le sol. Cécile le regarde, émue.

« Tu vois, maman, Arsène n'est pas là, mais je lui donne les graines quand même. Tu penses qu'il doit explorer sa forêt, depuis le temps qu'il n'y était pas venu…

– On rentre ! »

Guillaume ne parle jamais des disparus et les adultes évitent de le faire devant lui. On sent pourtant

181

ces images d'horreur présentes derrière des propos anodins ou des questions d'enfant.

« Dis, tu crois vraiment qu'il peut faire une mauvaise action, le bon Dieu ? »

L'écureuil disparu occupe Guillaume une partie de l'été. Cet animal invisible, peut-être mort, a plus d'importance maintenant que lorsqu'il était dans sa cage. Cécile s'en étonne.

« Tu comprends pas, répond l'enfant, qu'il est allé voir le bon Dieu et tous ceux qui sont au ciel. »

Cécile se tait. Elle sait de qui Guillaume veut parler.

L'été chavire dans un tourbillon d'orages, de vent et de grêle. Déjà l'automne apporte ses premières feuilles mortes. Les écureuils font leurs provisions pour l'hiver. Guillaume est reparti à l'école ; Cécile a insisté pour le reprendre avec elle et M. Cellier ne s'y est pas opposé. Chaque fin de semaine, ils reviennent tous les deux dans la maison au toit bleu où M. Cellier se lisse la moustache du bout des doigts en les regardant partir se promener dans la forêt. Guillaume ne cesse de parler, de raconter des tas d'histoires à sa mère qui l'écoute, parfois émue aux larmes. Ils se retrouvent et, comme après une longue séparation, se découvrent des gestes qu'ils avaient oubliés. Cécile comprend qu'elle en a voulu à Guillaume de ne pas être mort avec les autres. Elle retrouve aussi son cœur de mère et s'en veut d'avoir pu vivre au fond de ce désespoir peuplé de monstres, alors que son petit garçon était là. C'est avec elle et elle seule qu'il peut surmonter l'immense obstacle que le destin a placé devant ses pas d'enfant.

Arsène l'écureuil y est sûrement pour quelque chose.

XI

L'oiseau aux ailes bleues

Au fond, Guipy n'était pas ce que les hommes auraient appelé un oiseau malheureux. Il aurait probablement pu, comme les autres, vivre dans les bois et, au début du printemps, imiter tous les animaux, parce qu'il avait ce don nécessaire à son espèce. Être geai ne demande pas seulement de savoir voler dans la lumière du matin qui allume les plumes bleues des ailes, mais d'éloigner ou d'attirer les habitants de la forêt, et cela se fait par des miaulements, des bruits secs de tourterelle, des appels plaintifs de hulotte. Il aurait pu être nomade dans la hêtraie, chapardeur de pois, siffleur mélancolique à l'automne, pilleur de nids au printemps. Il aurait pu aussi parcourir des distances infinies, grimper jusqu'aux nuages, survoler ces constructions où vivent les hommes, ces enclos où des oiseaux sans ailes guettent le ciel avec, dans les yeux, des reflets ternes. Mais qu'est-ce qu'un regret pour un geai ?

C'est ce qu'il veut et ne peut avoir : des graines fraîches gardées par une sorte de jardinier immobile, des fruits abandonnés que la neige recouvre dans les pièges des hommes. Cette vie lui avait été refusée d'un bloc alors qu'il était encore un oisillon duveteux. Un curieux animal l'avait pris au nid dans ses mains aux doigts puissants et l'avait placé dans cette cage. Depuis, Guipy avait appris à reconnaître le forgeron avec sa large figure souriante, sa moustache noire et dure. L'homme avait dit, en essayant de lui faire manger du fromage blanc : « Toi, je t'apprendrai à parler ! »

Son horizon se réduisait aux dimensions de la porte d'où montaient la voix puissante du forgeron et les bruits métalliques du marteau sur l'enclume. Tout cela était grillagé, réduit à sa cage, mais il était bien. Une paix construite à partir de petites choses, un quotidien douillet et rassurant. L'hiver, il se terrait au fond de sa cage en attendant que le temps passe. Le temps ? Savait-il ce que c'était ? Non, il ne savait rien, Guipy. Il ne faut pas demander à un oiseau de faire autre chose que voler, suivre ces chemins interdits aux autres animaux, là où le pied ne rencontre aucune résistance, que seules des ailes peuvent atteindre. Mais Guipy avait été privé de cette ivresse et ne savait pas ce qu'il perdait. Glisser très haut au-dessus des maisons et voir, tout en bas, les petites machines des hommes s'acharner comme des larves n'évoquait rien pour lui. Guipy, même s'il battait de ses ailes toutes neuves, ne connaissait que le saut du perchoir sur le sol. Prisonnier depuis toujours, il n'avait pas envie de la liberté.

Il passait de longues heures sur son perchoir à somnoler, suivant des yeux les allées et venues des hommes. Parfois, des oiseaux stupides le narguaient, perchés sur les branches basses du tilleul, et semblaient lui dire : « Tu ne connais pas le lever du soleil sur la forêt, cette lumière humide, droite, plantée entre les arbres ? Et la saison des nids, les feuilles nouvelles, l'espace, l'air infini où tous les geais aiment voler, cabrioler jusqu'à toucher le ciel. Ça vaut bien quelques privations... » Guipy ne les écoutait pas. La porte fermée réduisait son univers. Le ciel ? C'était un carré lumineux avec un grillage devant. La forêt ? Une branche de tilleul sur laquelle, quand il faisait chaud, poussaient des feuilles qui tombaient quand le froid arrivait.

Chaque matin, avant d'entrer dans la forge, Antoine roulait une cigarette près de la cage. Il se penchait sur l'oiseau et disait :

« Parle ! Répète après moi : "Virginie, je t'aime !" Crie-le très fort pour que le monde entier l'entende. Et puis, je vais t'apprendre mes chansons napolitaines... »

Presque tous les jours, Virginie s'approchait de son pas léger. Elle apportait une poignée de graines pour l'oiseau et, une fois la cage fermée, se blottissait dans les bras puissants de l'homme. Sa voix très douce disait :

« Antoine, je t'aime ! »

Une fois au travail, le forgeron sifflait, chantait les mélodies de son pays que l'oiseau reconnaissait de jour en jour. Alors, Guipy ressentait sous ses plumes, autour de son jabot, la chaleur agréable que les chansons de l'homme y répandaient.

Virginie était une petite femme aux cheveux courts et blonds. Un regard plein de soleil. Sa peau était très blanche, ses mains fines et délicates. Quand elle passait près de la cage, le cœur de Guipy accélérait. Il battait encore plus fort chaque fois qu'elle se serrait contre l'homme. Elle semblait si fragile entre ces énormes bras, si petite ! Mais Guipy n'avait pas peur qu'elle soit étouffée ; il ne pouvait pas anticiper les conséquences d'un geste, d'un événement. L'oiseau vivait seulement le présent, avec quelques lueurs du passé et une série d'instincts qui venaient du fond de son être. Ainsi, parfois, lorsque les nouvelles feuilles poussaient sur la branche du tilleul, une force profonde le poussait à se plaquer contre la porte de la cage et à chercher dans l'air l'odeur des autres geais.

« Antoine, je t'aime ! »

Guipy reconnaissait la musique de ces mots qui se répétaient souvent, trop peut-être. De jour en jour, elle s'incrustait dans sa tête, s'y fixait. Il ne savait pas que dans ces mots d'amour, il y avait une détresse, un appel au secours. Quel animal pourrait le comprendre ? Dire qu'on aime quand on a envie de dire qu'on est malheureux, qu'on est seul, qu'on attend quelque chose qui ne vient pas ! Même le forgeron avec son regard droit ne le comprenait pas.

« Antoine, je t'aime ! »

À mesure que les jours passaient, ces sons devenaient cris, identiques à ceux de la forêt, à l'aboiement du chien, au chant enroué du coq. Antoine continuait de rire et de parler avec ces hommes qui arrivaient en voiture. Ils regardaient ensemble des morceaux de fer, des outils, des machines ; ils évoquaient la pluie qui ne favorisait pas les travaux des champs, des affaires qui allaient mal. C'était un va-et-vient incessant. Le soir, quand il comptait les pièces brillantes et les billets de sa caisse, Antoine avait un curieux regard. Ses yeux s'agrandissaient et ses lèvres souriaient sous la moustache noire. Virginie regardait ailleurs. Il y avait, souvent, au bout du ciel, un nuage d'or qui précédait la nuit. La femme ne quittait pas du regard ce nuage étalé comme un drap.

Les clients allaient directement à la forge. Certains s'approchaient de Virginie et lui murmuraient des mots sans poids, mais la femme faisait semblant de ne pas les entendre et partait très vite. Guipy remarquait pourtant que ses joues se coloraient d'un rose si léger que les hommes ne le voyaient pas, parce que les hommes ne voient jamais l'essentiel. Un matin, elle ne vint pas avec Antoine devant la cage. Le « Antoine, je t'aime » manqua à l'oiseau pendant toute la journée.

Le forgeron avait un ami. Alfred était revenu dans la région après plusieurs années passées en Afrique. Il avait beaucoup vécu et parlait de ces pays brûlés de soleil avec des mots qui donnaient envie d'y aller. Chaque fois qu'il s'installait à table et qu'il ouvrait sa boîte à souvenirs, Virginie l'écoutait comme un enfant à qui on raconte une belle histoire. Avec Alfred, elle chevauchait des dromadaires, s'enfonçait dans la brousse, frémissait au rugissement du lion. Antoine aussi écoutait avec ravissement. Il remplissait le verre de son ami et disait en souriant, l'air ingénu :

« Tu vas pas me faire croire celle-là ! Elle est un peu grosse ! »

Mais si, il la croyait celle-là, et les autres. Il ne demandait que ça et, en pensant à sa forge sombre, sa vie sans horizon, il s'exclamait en se tournant vers sa femme :

« Tu te rends compte comme le monde est grand et comme il y a de belles choses à voir ! »

Elle acquiesçait de la tête. Sur ses lèvres, une moue de petite fille se dessinait et la lumière de ses yeux pâlissait comme si elle regardait au fond de sa mémoire un de ces paysages lointains, conservés d'une autre vie.

Ce fut un événement lorsque Guipy dit ses premiers mots. Il cria : « Antoine, je t'aime ! » Sa voix reproduisait curieusement les intonations de Virginie. L'homme sortit de la forge et regarda autour de lui, étonné de ne pas voir sa femme. Le geai recommença et le visage d'Antoine s'éclaira. Il posa son marteau, ses pinces, et s'approcha de la cage en riant. Il appela Virginie et Alfred qui se trouvaient là. Tout le monde éclata de rire lorsque l'oiseau parleur répéta : « Antoine, je t'aime ! » Ce jour-là, Guipy eut droit à une double ration de fromage blanc.

Dès lors, la langue du geai devint de plus en plus habile. Il apprit d'autres mots, d'autres sons. Les gens accoururent de loin pour l'entendre, et l'oiseau aux ailes bleues n'était pas avare de discours…

Antoine travaillait de l'aube à la nuit, mais il n'arrivait plus à tout faire. Il ne sifflait plus que trois notes, toujours les mêmes, étriquées, sèches, sans commune mesure avec les mélodies d'autrefois. La forge était trop petite, il la fit agrandir et embaucha des ouvriers. Il était fier de lui :

« Tu vois, disait-il à Alfred, qu'il n'est pas utile d'aller dans les pays lointains pour réussir ! »

Chaque soir, en comptant sa caisse, son visage s'éclairait d'un sourire satisfait. Il touchait ces pièces, caressait ces billets avec des gestes doux et délicats, ceux que l'on réserve d'ordinaire aux gens qu'on aime. Il écrivait des chiffres sur un cahier. Tout ce travail, au fil des jours, ce bruit, ce va-et-vient, ces machines qu'on démontait dans la cour, se transformaient en chiffres qui s'alignaient en colonnes sur la feuille blanche, comme des soldats en position d'attaque. Et plus l'armée était longue, plus le forgeron souriait dans sa moustache. Il n'avait plus le temps d'écouter les histoires d'Alfred, ses affaires l'occupaient beaucoup. Virginie s'était réfugiée dans la cuisine où elle préparait les repas et passait beaucoup de temps à regarder par la fenêtre les arbres bouger sous le vent et le nuage d'or qui flottait sur le soleil couchant.

Le dimanche, Antoine portait un bel habit sombre avec une montre en argent dans la pochette. Il avait décidé d'aller à la messe :

« Si nous allons régulièrement à l'église, nous aurons le soutien des bourgeois ! »

– Nous ? s'exclamait Virginie. Moi, je ne suis pas candidate à la mairie. »

Sa voix d'ordinaire si douce était aigrie d'un peu d'agacement. Antoine ne s'en était pas aperçu. Il travaillait désormais dans le bureau qu'il s'était fait aménager à l'étage. Parfois, Guipy l'entendait crier dans la forge contre les ouvriers qu'il traitait de bons à rien. Sa voix changeait complètement lorsqu'il accueillait des hommes qui garaient leurs grosses voitures près de la cage de l'oiseau. Il souriait, leur tendait les mains. Très vite, Guipy sut répéter ce qu'il leur disait. Et quand sa voix d'oiseau lançait un « cher ami », tout le monde riait et Antoine plus fort que les autres.

Virginie ne paraissait que très peu dans la cour. Elle restait dans sa maison où, parfois, Alfred la rejoignait, et ces jours-là, Antoine l'entendait parler joyeusement avec son ami qui avait toujours une histoire nouvelle, une aventure de ce lointain pays où les hommes sont noirs et la terre couleur de sang.

« Ce cher Alfred ! disait Antoine. Il a toujours eu le cœur sur la main. Mais à part raconter des histoires, il ne vaut pas grand-chose ! »

Antoine regardait alors son usine. Les ouvriers entraient des tiges de fer sur des chariots. Le bruit strident des machines à l'intérieur ne cessait pas de la journée. Deux équipes s'y relayaient. En voyant miroiter au soleil les ardoises de ses nouveaux bâtiments, il se sentait plein de fierté. Oui, vraiment, il était fier d'avoir acquis une telle importance. Un industriel qui s'était fait seul, à la force du poignet !

Le temps passait. La branche du tilleul avait bourgeonné. Les feuilles avaient poussé, puis elles étaient tombées. Le froid revint ; les oiseaux se taisaient, sauf Guipy, à qui Virginie apportait des graines pleines d'huile. Antoine n'avait plus le temps, le matin, de fumer sa cigarette près de la cage. Son bureau le retenait tard le soir et, à l'aube, il surveillait l'arrivée de ses gens. Le pré voisin avait été aménagé en parking pour leurs voitures. Un matin, tandis qu'il était au portail, il vit un de ses plus anciens ouvriers regarder distraitement sa maison. Ce regard frappa Antoine qui le reçut comme une offense, comme un coup de fouet en pleine figure. Brusquement, il découvrait que sa maison, malgré quelques aménagements, était toujours une maison de forgeron. Il convoqua aussitôt un architecte et un maçon. Le printemps suivant, il possédait la plus grande et la plus belle villa du bourg. C'était ainsi qu'il le voulait. La richesse doit se voir, sinon elle ne sert à rien.

Sa taille s'était épaissie. Sa silhouette allait bien avec ses gestes amples, sa voiture de luxe et la table retenue à La Crémaillère, le meilleur restaurant du pays. Malgré ses soucis, son visage ne se ridait pas. Il continuait de sourire sous sa moustache, d'un sourire qui avait désormais un air satisfait.

Alfred le gênait. Il lui demanda de ne pas venir le voir dans le bureau et de ne pas le tutoyer devant les employés :

« Tu comprends, s'ils t'entendent me tutoyer, pourquoi ne le feraient-ils pas, eux aussi ? »

L'ami d'enfance le prit très mal et ne revint jamais. Antoine n'alla pas le chercher.

Un jour, tandis qu'elle traversait la cour, il remarqua que Virginie était beaucoup moins élégante qu'Élise, l'épouse de leur nouvel ami, le notaire.

« Regarde comment tu t'habilles, dit-il, contrarié, tu ressembles à une bergère. »

Virginie s'habilla mieux, c'est-à-dire plus cher. Elle acheta des bijoux et les montra dans les dîners. Antoine fut satisfait et retourna dans son grand bureau où le téléphone ne cessait de sonner.

Il finit par se demander si la présence du geai, dans sa cage sous le tilleul, n'était pas dégradante pour lui. Seuls les paysans apprivoisent ces oiseaux pour les faire parler. Il eut la tentation de le donner à un jeune ouvrier qu'il venait d'embaucher, mais il ne le fit pas, retenu par une espèce de superstition,

comme si sa réussite, c'était à l'oiseau bavard qu'il
la devait.

« Alfred, je t'aime ! »

C'était sorti du bec stupide du geai, un matin
semblable à tous les autres. Antoine fit volte-face,
s'approcha de l'oiseau et se frotta les yeux ; sa cigarette éteinte pendait à ses lèvres.

« Hein ? Qu'est-ce que tu dis ? »

Guipy le regarda de son œil rond. Antoine
haussa les épaules :

« Je suis bien tranquille ! Un couillon pareil ! »

Il monta à son bureau, parcourut son courrier.
Même si, de temps en temps, il regardait par la fenêtre
les gens dans la cour, il ne pensa pas à ce que le geai
avait dit. Pourtant, le lendemain matin, il revint fumer
sa première cigarette près de la cage.

« Alfred, je t'aime ! »

Il sursauta de nouveau. La colère montait en
lui :

« Qui t'a appris ça pour me faire enrager ?
C'est Lonraud, à qui je refuse la place de contre-
maître depuis deux ans ? C'est lui, hein ? »

Antoine ne parla à personne de ce que disait
le geai et ne fit pas le moindre reproche à Lonraud.
Virginie s'était acheté une voiture et allait, les
après-midi, boire le thé et bavarder avec Flora, la

196

femme de l'architecte, ou la langoureuse Élise. Elle animait une mission de charité en faveur du tiers-monde.

« Il faut bien que je m'occupe ! » avait-elle dit à Antoine, qui trouvait cela en parfait accord avec sa candidature à la mairie.

Ce matin, quand il la vit partir sur la route du village, il eut la tentation de la suivre. Puis, il se mit à sourire : sa femme était incapable de le tromper. Elle ne savait pas dissimuler et Alfred était un bavard sans envergure !

Le soir, il rentra plus tôt du bureau et, au lieu de regarder la télévision, il se mit à lire une revue professionnelle. De temps en temps, il levait les yeux sur Virginie. Rien n'avait changé dans ce visage qui lui souriait, ce visage qui ne pouvait pas cacher un aussi gros secret.

Le lendemain, il alla de nouveau fumer sa cigarette près de la cage et attendit plus longtemps que d'habitude avant de regagner son bureau. Le geai ne dit rien, Antoine en fut complètement rassuré, mais cela ne dura pas longtemps. Après le déjeuner, à l'heure où les ouvriers se rassemblaient avant de rejoindre leur poste de travail, l'oiseau se mit à parler avec une voix qui imitait bien celle de Virginie. Tout le monde put l'entendre crier :

« Alfred, je t'aime ! »

Il y eut des rires, des mouvements de tête qui n'échappèrent pas au patron. Les regards innocents tournés vers lui semblaient dire une vérité qu'il était le seul à ignorer. Il ne fit aucune remarque. Quand les ouvriers furent entrés, il alla chez lui, comme pour y chercher un indice, quelque chose qui aurait pu le rassurer. Ne trouvant rien, il retourna à l'usine et fit appeler son ouvrier le plus ancien, un homme de confiance, et parfois, son confident :

« Julien, tu as entendu le geai ?

– Oui, j'ai entendu comme tout le monde.

– Et qu'est-ce que tu en penses ?

– J'en pense rien. C'est un geai !

– Tu crois que c'est vrai, ce qu'il dit ?

– Les gens sont jaloux de votre réussite, alors ils disent n'importe quoi. À votre place, j'enlèverais cet oiseau. »

Antoine regrettait maintenant de ne pas l'avoir fait plus tôt. Il pria Julien de retourner à son travail et s'en alla au village. Devant la maison du notaire, la petite voiture de Virginie attendait, garée près du trottoir. Antoine en eut très chaud au cœur et rentra rassuré. Le soir, il ne parla de rien.

Le lendemain, il revint de nouveau près de la cage et attendit. Le jour se levait dans une séré-nité de début du monde. Pas une feuille n'était agacée par le moindre vent. Antoine avait mal

dormi ; un rêve monstrueux l'avait réveillé en sursaut.

« Alfred, je t'aime ! »

Une boule de colère monta dans sa large poitrine. Il ouvrit la cage et ses mains tremblantes se
refermèrent sur l'oiseau apprivoisé… Guipy réussit
à s'échapper et battit très fort des ailes, comme il ne
pouvait le faire dans sa cage trop petite. L'air le
soulevait ; il volait ! Son cœur s'emballait. Guipy
découvrait cette sensation unique et indispensable
dont il avait été privé jusque-là. Il monta se percher
sur la plus haute branche, et là, le vertige le prit. Ce
qu'il voyait était bien trop grand pour son entendement d'oiseau prisonnier : des tilleuls à perte de
vue, des prairies, des animaux qu'il ne connaissait
pas, et surtout la maison, l'usine, ces cages immenses… Comment avait-il pu se contenter de si peu
d'espace ?

« Alfred, je t'aime !

– Attends un peu, je vais chercher mon
fusil ! »

L'homme s'éloigna vers la maison. La cage
était restée ouverte et, de son perchoir, Guipy la
regardait avec curiosité.

Des corbeaux passaient très haut en croas-
sant. Guipy était pris d'un grand tumulte qui faisait
trembler les plumes bleues de ses ailes. Les voix

criardes d'Antoine et de Virginie, qui se disputaient, lui donnèrent envie d'aller plus loin, de s'envoler de nouveau. Il ouvrit ses ailes et sauta dans le vide. Une fois encore, le miracle se produisit.

Antoine apparut sur le perron, sans fusil, en regardant autour de lui comme s'il ne reconnaissait pas son usine :

« Et ça, hein ? Qui l'a fait ? Certainement pas cet abruti d'Alfred ! J'ai réussi, moi, j'ai créé quelque chose qui fait vivre des gens ! »

Il alla au portail accueillir les premiers ouvriers qui arrivaient.

Le soleil se levait, énorme, au-dessus des collines. Jamais Guipy n'aurait imaginé que le monde fut aussi grand. La route se poursuivait bien au-delà des tilleuls où toute une forêt de hêtres luisait sous la lumière rasante. Quand les ouvriers furent entrés, Antoine se tourna vers l'arbre où se trouvait le geai. L'oiseau regardait tour à tour cette campagne qui l'appelait, et cet homme dont la proximité lui procurait une joie profonde. Il se laissa tomber vers lui. La moustache noire s'étira en un léger sourire :

« T'es pas une mauvaise bête, toi ! »

L'oiseau s'écria :

« Antoine ! Antoine ! Antoine ! »

Il répétait incessamment ce nom, comme un disque rayé, comme une mécanique folle et insensible.

Antoine laissa le geai perché sur sa cage et se rendit à son bureau. Quelques instants plus tard, Virginie lui apporta une poignée de graines. L'oiseau ne bougea pas quand la petite main blanche, aussi légère qu'une plume, vint se poser sur son dos. Après avoir picoré les graines, Guipy déploya ses ailes et monta se percher sur le tilleul. L'envie de voler très loin, de découvrir la forêt, n'était pas aussi forte que le lien qui le retenait à ce tilleul, cette cour, cette petite cage à la porte grillagée.

Le soir, il y eut de nouveaux éclats de voix dans la maison. Le geai, qui s'était perché sur un volet, ne comprenait pas, mais le ton inhabituel éveillait en lui un désir de fuite vers l'inconnu.

« Me tromper avec Alfred ? Oser me faire ça à moi, avec ce traîne-savate, moi, l'homme le plus important de Saint-Gilles ! »

Virginie soutint le regard d'Antoine. Il y avait beaucoup de détermination dans ses yeux fixes.

« Alfred n'est pas un prétentieux. Il ne se prend pas pour le nombril du monde. Il sait me faire rire, comme tu savais me charmer avec tes chansons napolitaines, autrefois. Ton usine t'a dévoré le cœur. Et c'est elle qui nous sépare. »

Elle avait parlé d'un ton égal, sans colère, sans la moindre humeur. Les larges épaules d'Antoine s'abaissèrent, vaincues par cette voix grêle.

« Tu me vois chanter des chansons napolitaines ? Mes banquiers et mes clients n'auraient pas fini de rire.

– C'est bien ce que je dis, tu es resté un ouvrier, rien de plus. Tu te fais un personnage pour ressembler à ceux que tu fréquentes. Tu es devenu une marionnette sans couleur et sans caractère !

– Enfin, Virginie, comment oses-tu dire ça ? Et l'usine ? Qui l'a créée ? En connais-tu beaucoup qui ont fait ce que j'ai fait ? Ma vie s'est passée à travailler dur… Pour en arriver à ce soir. »

Il baissa les yeux.

« Non, Antoine, ta vie s'est passée à forger cette carapace qui t'étouffe. Tu as travaillé dur pour être appelé monsieur, pour être invité à la chasse par le préfet, pour avoir du pouvoir sur les autres. Tu n'as pensé qu'à toi, seulement à toi durant ces années où la forge est devenue une usine. Et l'argent que tu as gagné t'a-t-il rendu heureux ?

– Virginie, je t'en prie, ne me parle pas comme ça…

– Comme on était heureux, Antoine, quand tu n'avais qu'une forge et que tu chantais toute la journée ! »

Là-dessus, elle prit son manteau et sortit. La portière de sa voiture claqua ; le bruit du moteur décrut dans la nuit. Guipy était toujours perché sur le paravent. Il voyait à l'intérieur Antoine qui, le front sur la table, ne bougeait pas.

Trois mots appris autrefois roulèrent mécaniquement dans la gorge de l'oiseau :

« Antoine, je t'aime ! »

Antoine sursauta et se tourna vers la fenêtre qu'il ouvrit en grand. Il aperçut le geai :

« Ah, c'est toi ? dit-il déçu. Allez, viens, tu vas te faire bouffer par un chat. La nuit, c'est plein de dangers et tu n'en sais rien. »

Les doigts s'écartèrent pour se refermer sur Guipy qui s'échappa en criant :

« Antoine ! Antoine ! Antoine ! »

L'homme poussa les battants de la fenêtre. Il sortit. Guipy, sur son paravent, redoutait la nuit qui l'encerclait. Il avait beau scruter l'ombre, il ne voyait rien. Il aurait voulu aller se blottir au fond de sa cage, mais où était-elle ? Tremblant, l'oiseau enfonça sa tête dans ses plumes et ne bougea plus. Il s'assoupit.

Tard dans la nuit, une voiture arriva ; les phares éclairaient la cour de leur lumière jaune et puissante. Guipy vit Antoine en sortir. L'homme baissait la tête. Il se dirigea vers l'usine, laissant la portière ouverte. La fenêtre du bureau s'éclaira. Le jour se levait sur la forêt et l'oiseau découvrait le ciel lointain qui se remplissait de lumière ocre. Antoine sortit de son bureau, ferma la portière en passant. Il n'avait pas sa tête habituelle ; la barbe noircissait son menton ; le col de sa chemise était ouvert et sa cravate défaite pendait. Il ouvrit le portail, mais ne resta pas saluer les ouvriers comme il le faisait chaque matin.

Pendant la journée, Guipy l'entendit crier dans les ateliers et dans son bureau. Le soir, tandis que la nuit tombait lentement, la petite voiture rouge de Virginie s'arrêta dans la cour. La femme entra dans la maison. Antoine la rejoignit aussitôt.

« Reviens, Virginie… On oublie tout et on recommence, comme avant. »

Virginie remplissait une valise de ses vêtements.

« Tu ne comprends pas qu'on ne vit pas au-dessus de sa condition ! Tricher avec soi, c'est tricher avec tout le monde, chaque instant ; c'est la meilleure manière de rendre malheureux ceux qu'on aime. »

Virginie s'étonnait de parler ainsi. Une nouvelle femme avait pris la place de la petite ouvrière qu'un forgeron napolitain avait séduite par ses chansons et sa bonne humeur. Le rôle qu'Antoine lui faisait jouer depuis qu'il était devenu un homme important lui pesait. Elle ne voulait plus mentir, témoigner de l'amitié à des gens pour qui elle n'éprouvait qu'indifférence, afficher sa richesse, participer à des dîners où elle s'ennuyait. Virginie voulait redevenir elle-même…

« Virginie, je… »

Les mots manquaient à Antoine pour exprimer son désarroi. Ce n'était pas un homme à s'humilier, à demander pardon. Pourtant, il savait bien que sans Virginie, sa vie n'avait pas de sens.

« Je ne peux plus jouer, Antoine, c'est ainsi ! J'ai une fringale de sincérité. Je veux voir qui j'ai envie, sans me soucier de savoir si c'est néfaste à la carrière politique de mon mari. Je veux rire, m'amuser ; je veux exister ! »

Antoine s'assit près de la table. Ses bras musclés de forgeron pendaient le long de son torse. Ses mains à la peau fine et blanche avaient gardé cette robustesse, cette épaisseur des mains habituées à serrer un outil.

« La réussite détruit ceux qui ne savent pas la maîtriser ! continua Virginie. C'est un miroir aux alouettes. Il faut savoir se garder de ses mirages.

– C'est pour toi que j'ai fait tout ça !

– Ne mens pas, Antoine. Tu n'as rien fait pour moi… »

Elle prit sa valise et sortit. De son perchoir, Guipy regarda Antoine silencieux, perdu dans un dédale de pensées lourdes qui le conduisaient toutes à cette douleur irradiante qui remplissait son corps tout entier. Alors, il cria :

« Antoine, je t'aime ! »

Antoine leva la tête, se tourna lentement vers la fenêtre.

« Toi, je vais te remettre dans ta cage ! »

Il sortit, s'approcha de l'oiseau qui se laissa prendre.

« Au moins, tu ne mens pas ! Et même si tu ne sais pas ce que tu dis, ça me fait du bien ! »

Il emporta le geai. Tandis que la porte grillagée grinçait en se fermant, Guipy revoyait le grand tilleul que ses ailes bleues avaient conquis à deux reprises. Ses ailes qui ne l'emporteraient plus jamais vers la liberté du ciel.

XII

Le Noël du grand cerf

DARIOT, LE GRAND CERF, avait assisté à la chute des feuilles, insensible à l'agonie de la forêt, l'œil figé sur un horizon dont il était le seul à profiter. Il avait vu le ciel se voiler d'une couche uniforme de nuages, une toison lisse, douce d'apparence, qui agrandissait démesurément la tête des arbres. Les châtaigniers avaient retrouvé leur silence figé. Les dernières feuilles, lourdes d'humidité, pendaient encore au bout des rameaux que les pluies avaient noircis. Parfois, une châtaigne traversait cette toile trouée, comme une balle, détachait des lambeaux de lichens qui tombaient en tournant.

L'automne touchait à sa fin. Les beaux après-midi où le soleil ruisselait en épaisses couches de lumière jaune étaient de plus en plus rares. Dariot regrettait ces heures encore chaudes où la forêt brûlait, jaune et vive, tachée du rouge sang des érables. À travers ses paupières brunes aux cils noirs, la clarté diffuse du sous-bois l'éclairait jusqu'au fond de lui-même. Il ruminait ainsi durant des heures, balançant légèrement ses grands bois de vieux mâle. C'était un solitaire ombrageux qui vivait en dehors des hardes.

Après de longues journées de brume, le vent se leva. Une pluie régulière, fine et froide, remplit l'air. Très vite, le sol devint mou ; le grand cerf n'aimait pas cette désagréable impression d'enfoncement où les sabots ne rencontraient jamais de véritable résistance et laissaient, après un bruit d'air aspiré, une large empreinte au milieu du chemin des hommes. Tout y était écrit : la direction, le moment du passage, l'âge de la bête. Pour cette raison, Dariot sautait par-dessus d'un bond formidable de puissance, ses muscles à peine bandés, presque au repos.

La pluie persistante s'infiltrait entre ses poils et gelait la peau. Le dix cors resta sous les sapins qui le protégeaient, la tête basse comme pliant sous le poids énorme de ses bois mouillés. Un matin, une poussière blanche se mit à tomber d'un ciel d'ardoise. Le sol se couvrit d'une couche de neige d'une douceur perfide : le dix cors savait qu'elle trahissait tous les animaux de la forêt, qu'elle entraînait les hommes jusqu'aux plus secrets de leurs repaires. Il évita de se déplacer… Cela ne dura pas, la pluie

revint et redonna à la forêt sa couleur grise qui faisait mal aux yeux.

Dariot frissonna. Une sensation de froid serpentait au creux de ses reins, gagna l'échine et se
brisa en vaguelettes. Il secoua ses bois ; un désir naissait dans ses muscles, une nécessité s'imposait à lui. Il
se dressa sur ses pattes, marcha un moment. Ses
muscles engourdis reprenaient vie. Il se mit à courir
en longues foulées. Les arbres, les champs fuyaient
autour de lui. Il traversa des prairies jaunes, enjamba
des ruisseaux où l'eau froide gargouillait. Il croisa
des maisons grises à peine visibles dans la brume,
des clochers pointus qui s'enfonçaient dans les nuages. Parfois, l'aboiement d'un chien le surprenait et
piquait son instinct à vif. Il courut ainsi longtemps,
très longtemps, sans s'essouffler. C'était l'hiver et le
grand cerf ne s'en étonnait pas.

Il décida de se reposer dans un taillis de hêtres.
Sous le couvert végétal, entre les fougères sèches, il
découvrit des plaques d'herbe tendre. Quand il fut
repu, il se coucha sur les feuilles mortes pour ruminer. De vagues souvenirs de son passé défilaient sur
sa conscience, le temps du brame, les après-midi
torrides d'été… De lointains aboiements lui rappelaient une terrible journée. Les vallons résonnaient
d'étranges clameurs… Les hommes l'avaient coursé ;

il les avait semés en se cachant dans une harde. Une détonation avait terrassé une femelle proche de lui, étrangement, en pleine course. Elle s'était raidie, puis était tombée…

Dariot dressa l'oreille. Le vent changeant interrompit le bruit des chiens qui semblaient se rapprocher. Rien ne pressait. Il continua de ruminer en somnolant. Au bout d'un long silence de forêt, une rafale de cris aigres et désordonnés le surprit. Il tourna la tête : les chiens braillaient derrière le coteau de Vieillefond et allaient bientôt dévaler vers lui ; le dix cors était passé par là le matin même, la meute était donc sur sa piste. Il entendit des hommes parler :

« Le vent est irrégulier. Il a dû nous flairer !

– Qu'importe ! Nous n'avons rien à faire avant la nuit. Continuons. Ce doit être le dix cors que Jean nous a signalé.

– J'ai hâte de le voir ! dit une voix moins épaisse et moins grave.

– Ça va, Maryse ? »

Il n'y eut pas de réponse. Le vacarme des chiens escamotait tout et faisait peser sa menace sur la forêt. La meute descendait vers lui, coulait, liquide blanc parsemé de taches ocre.

Dariot savait qu'il n'aurait pas de mal à la semer. Il se leva lentement, et se mit à galoper. On aurait dit qu'il ne touchait pas le sol. De temps en temps, il s'arrêtait, le nez au vent, écoutait et repartait.

« Il va droit au ruisseau de Vieillefond ! cria une voix. Les autres y sont. Pourvu que le vent ne tourne pas de nouveau ! »

Pour semer les chiens, Dariot sautait par-dessus les chemins, retournait sur ses pas, embrouillait sa piste. Un dix cors ne manque pas de ruse ! Ce n'était pas un de ces daguets qui se jettent aux chasseurs dès la première course. Dariot avait vécu tant d'hivers, tant de saisons de chasse !

Maryse chevauche à côté de Paul, son mari. Les autres sont devant. Ils poussent leurs chevaux gênés par le sol humide pour ne pas se laisser distancer par les chiens. Maryse franchit un tertre et s'écrie :

« Je l'ai vu ! »

Paul écarquille les yeux, mais le cerf a déjà franchi la clairière. C'est un homme encore jeune, le front pourtant barré de rides. Une épaisse moustache blonde cache sa bouche. Maryse est menue. On ne voit que ses grands yeux aux coins desquels se forment des plis durs. Son front aussi est barré de rides. Elle est très pâle. Pourtant, cette sortie en forêt a changé quelque chose en elle. Ses poumons se sont remplis de l'air froid du matin. Elle en a ressenti un plaisir profond, un désir de caresses. Pour

211

la première fois depuis un an, des images d'amour ont traversé son esprit.

Paul lui sourit, un sourire triste, résigné.

« Il était beau ? demande-t-il.

– Je t'en prie, Paul, fait Maryse en retenant sa monture, arrêtons-nous un peu, je suis fatiguée.

– Comme tu veux. Nous retrouverons les autres plus tard. Si nous ne les retrouvons pas, tant pis. »

Ils descendent de cheval et font quelques pas l'un près de l'autre. Des larmes roulent sur les joues de Maryse. Paul ne pleure pas, mais la peine hérisse ses épines dans son estomac. Un an déjà ! Un an de souffrance à se répéter que tout est fini, sans espoir.

« C'est Noël, ce soir », dit Maryse.

Les aboiements s'éloignent, étouffés par la colline. La forêt murmure des sons nés de l'air, de cette brise qui serpente au ras du sol, des arbres immobiles. L'évocation de Noël, cette fête de la vie, des enfants, a fait resurgir les vieux démons. Maryse a le regard dur, les lèvres crispées. Tout à coup, elle explose :

« Paul, ça ne peut pas durer comme ça ! »

Elle n'a pas parlé avec sa voix habituelle. Paul la prend dans ses bras. Il constate, en l'embrassant, qu'elle s'est mis un point de parfum très doux derrière l'oreille gauche.

« Je t'en prie, dit Paul, ne nous faisons plus de mal inutilement. Cela ne sert à rien. »

Le Noël du grand cerf

Maryse lève ses grands yeux vers son mari. Il remarque que son visage, baigné de la faible lumière du sous-bois, n'est pas le même que chez eux, dans leur appartement. D'une main discrète, il caresse la joue du cheval qui s'impatiente. La proximité de Noël remue en lui une vase putride qui lui donne la nausée. Là, en face de ces arbres qui attendent le printemps, il doute encore. Cette foi qu'il croyait si solidement ancrée en lui vacille et risque de s'effondrer comme un vieux mur, dans les gravats et la poussière.

Pourquoi le malheur s'est-il abattu sur leur couple ? Ce matin, Paul a insisté pour que sa femme participe à la chasse, pour qu'elle monte à cheval. Elle a fini par accepter de mettre fin à une année de vie recluse, et les voilà, tous les deux, en train de ressasser ce qui les hante.

« Avoir la foi, dit Paul, c'est accepter l'inacceptable.

– Et se laisser aller ?

– Non. Il faut se battre pour la justice entre les hommes, pour qu'ils cessent de s'entretuer, pour qu'ils comprennent les risques qu'ils font courir à notre planète… Tout cela est du domaine des hommes, du raisonnable. Mais le reste, eh bien, le reste nous échappe. »

Paul a parlé d'une voix monocorde, pour chasser le silence qui se peuple de monstres, pas pour se convaincre.

213

Maryse fait quelques pas. Paul découvre que sa femme est belle, ainsi, en pantalon et veste de cheval. L'image d'une perpétuelle malade en peignoir s'estompe un peu dans son esprit.

« Il nous faut un autre enfant ! » dit-elle en se tournant.

Paul sursaute. C'est la première fois qu'ils parlent de ce qui les sépare, la première fois que Maryse évoque cette impuissance qui le frappe depuis la mort du petit Julien. Elle n'en a pas été gênée puisque, comme lui, depuis le grand malheur, elle a perdu le goût de la vie et de l'amour.

Un coup de fusil détone au loin. Maryse baisse les yeux. Au fond d'elle, son immense détresse n'a fait naître aucune méchanceté.

« Pauvre bête ! dit-elle. Pourquoi la tuer ? »

Paul lui prend les mains :

« Parce que c'est un vieux mâle qui gêne les hardes au printemps. Il a fait sa vie, et puis il ne sait même pas qu'il meurt. Il ne sait pas non plus qu'il vit. Seuls les hommes le savent parce qu'ils ont une conscience. »

Un cavalier arrive à leur hauteur. Le cheval arrête sa course, hennit quand le mors écrase sa mâchoire.

« Qu'est-ce qui se passe ? On vous attend !

– Et la chasse ? demande Paul.

– Le cerf est blessé. Il n'ira pas loin. Jean dit que l'eau est trop froide pour qu'il traverse l'étang. On le retrouvera facilement cet après-midi.

– Bon, on arrive », fait Paul en aidant Maryse à remonter à cheval.

Dariot sait où il va. La forêt se poursuit en pente douce jusqu'au ruisseau de Vieillefond, assez fort à cette époque. Il va sauter au milieu, suivre son cours sur plusieurs mètres, sortir de l'autre côté, et les chiens seront perdus… Il dévale la pente quand son œil exercé voit soudain, caché derrière une touffe de genêts, un homme qui lève vers lui le canon brillant de son fusil. Le cerf fait un bond de côté, deux formidables détonations le frappent comme une lanière de fouet.

« Zut, je me suis trop pressé ! » dit l'homme.

Les chiens arrivent.

« Je l'ai touché. Il est parti vers la rivière. »

Une terrible douleur, avivée par le froid, brûle le dix cors à la cuisse. Un liquide sirupeux coule sur ses poils, les colle par petites touffes comme des pinceaux. Au début, cela ne l'empêche pas de courir.

Comme prévu, les chiens perdent de nouveau sa trace. Ils avancent dans l'eau, jappent et se tournent vers les hommes en frétillant de la queue.

« Faut se séparer. Louis, monte en amont avec les chiens ! Maryse et Paul, vous irez vers l'aval, moi, je reste ici. »

Paul glisse une balle dans la culasse de son fusil. Maryse a un haut-le-cœur :

« C'est un geste de mort, de destruction que tu viens de faire, Paul. Aujourd'hui, la veille de Noël, tu te rends compte ?

– Écoute, Maryse, ne dramatise pas tout. Ce cerf doit être abattu pour laisser la place aux autres. Et puis, c'est un trophée.

– Un trophée ? On peut être fier de montrer la tête d'un animal abattu ? Je me demande pourquoi on ne ferait pas la même chose avec la tête de ses ennemis. Ce serait plus gratifiant pour le maître des lieux.

– Maryse, je t'en prie… »

La conversation s'arrête là, bute sur le mur du silence hivernal. Au fond, Maryse a parlé pour chasser ses pensées, pour conjurer sa douleur. L'épouvante s'impose à elle au rythme cadencé du cheval. Elle revoit ces six mois de calvaire au bout desquels le silence a pris la place des rires joyeux, la mort de la vie. Il y a un an déjà… Julien était un petit garçon gai. Il avait neuf ans et rêvait d'une moustache blonde comme son père. Maryse n'avait pas de rides au front ni au coin des yeux. Julien

216

trouvait sa mère si belle qu'il restait de longues minutes à la regarder. C'était sur une autre planète, avec les mêmes gens, les mêmes forêts, les mêmes villes, mais une autre planète où l'air était agréable à respirer, où les oiseaux chantaient, le matin. Maryse et Paul avaient une telle confiance dans le lendemain et tellement de projets qu'ils ne prenaient pas toujours le temps de goûter leur bonheur. Ils croyaient avoir raison. Pourquoi savourer les petits riens d'une vie juste commencée, comme un plat délicat et éphémère, puisque rien ne pouvait le ternir ? Le petit Julien était intelligent et plein d'avenir, eux, ils s'aimaient tant que le mauvais sort n'oserait pas tendre vers eux sa main griffue.

Et pourtant… Un soir, en rentrant de l'école, Julien se plaignit de douleurs dans les jambes. Son père rit : tous les enfants ont mal aux os lorsqu'ils grandissent. Le rire fit vite la place à l'inquiétude, à l'angoisse, à la peur. La mort était déjà dans ce petit corps qui flétrissait, maigrissait de jour en jour. Maryse et Paul eurent vite compris : on n'envoie pas un enfant à l'hôpital de Villejuif pour une crise de croissance.

Le remède fut à la hauteur du mal, terrible, une torture. L'enfant joyeux était devenu un vieillard incapable de marcher, totalement chauve. Julien avait oublié ses jeux et s'inventait cette vie d'adulte qu'il n'aurait pas. Quand il serait guéri, il irait en Amérique, parce que c'est là-bas que vivent les Indiens. Il irait dans la lune aussi, mais plus tard, quand cela coûterait moins cher. Il rêvait de bâtir une maison avec une tour ronde sur le bord de la rivière… À mesure qu'il avançait vers la mort, que la souffrance déformait ce petit corps de martyr, ses mots devenaient lumineux d'espérance et de confiance. Maryse et Paul se cachaient pour pleurer.

La course recommence. Le cerf, qui s'est laissé emporter par le courant, reprend pied dans une anse. Il monte sur la berge. Ses pattes sont lourdes, sa vue se brouille. L'animal sait vaguement que cela vient de sa blessure et du sang qui continue de couler à gros bouillons. L'instinct de fuite l'aiguillonne. Courir toujours plus vite, toujours plus loin ; échapper à cet engourdissement qui gagne ses membres… Il se lance au hasard d'une pente à travers des arbustes qui s'accrochent à ses bois et le freinent, arrive dans un marécage, s'y enfonce jusqu'au ventre. Les chiens l'ont retrouvé et hurlent à quelques pas de lui. Dariot traverse la prairie, suit un chemin empierré où la course est plus aisée. Chaque mouvement fait éclater la douleur de sa blessure. La meute sur ses talons, il se laisse emporter par une autre pente. Derrière cette frondaison de chênes, se trouve l'étang de

Beausable, le bel étang où il va, en été, boire tranquillement à la tombée de la nuit…

L'eau froide lui fera du bien et apaisera peut-être la fièvre qui le brûle. Il dévale la pente comme une charrette sans frein. Son cerveau s'embrume, pourtant il faut continuer. Un peu de grésil tombe d'un ciel grisâtre et bruit sur le sol gelé. Enfin, voilà l'étang pâle, livide sous les nuages ternes que la nuit assombrit déjà. Dans l'eau, le dix cors se sent mieux. Il boit pour calmer le feu de sa poitrine, et chaque gorgée le gèle au plus profond de son être.

Jusqu'au dernier jour, jusqu'à l'ultime moment, Maryse et Paul conservèrent l'espoir d'une amélioration, d'un répit. Et pourquoi pas un miracle ? On y croit toujours quand c'est pour soi. Imaginer le pire ne se peut pas quand on regarde son enfant aux joues creuses et pâles, aux yeux trop grands, sans âge, au corps décharné par le cancer qui le ronge et poursuit sans répit son travail destructeur. Penser que tout est fini au moment même où l'infirmière vient planter son aiguille dans cette fesse de plâtre veinée de bleu, pour calmer la douleur qui grandit chaque jour, est au-dessus de l'entendement. Une femme devant son enfant a les mêmes réflexes, les mêmes certitudes qu'une biche devant son faon, une laie devant ses marcassins, une louve devant ses louveteaux.

Il n'y eut pas de miracle. La mort était au bout de l'agonie, de la torture. Elle se posa sur Julien comme une ombre. La respiration du petit garçon s'arrêta tandis qu'il dormait. Maryse poussa un cri de bête traquée, un hurlement de douleur et de protestation. Paul serrait les dents. Ses yeux restèrent secs ; il se tourna vers la fenêtre pour regarder le ciel clair, sans nuage, ce jour-là. Et pour poser cette question sans réponse : pourquoi ?

Ensuite, il fallut faire semblant de vivre, retourner au bureau – Paul travaillait dans une banque – et à l'école – Maryse était institutrice. Les cris des enfants pleins de vie et de santé lui devinrent insupportables. Elle s'arrêta de travailler. Chez elle, la solitude donnait plus de force à son désespoir. Les souvenirs s'imposaient, plus vifs et plus durs. Elle ne cessait de vivre au passé, de regarder des photos, de s'inventer des maladies. Elle passait ses journées en robe de chambre, se négligeait, restait des semaines sans voir personne. Paul avait pris la douleur à bras-le-corps. Il se battait avec elle sans rien dire, s'occupait pour ne pas penser. La chasse, la pêche, le bricolage, tout était bon pour tuer le temps, pour oublier ces moments terribles et son corps que la mort de son fils avait cassé.

« Paul…

– Maryse, je t'en supplie, reste en retrait si tu veux, mais c'est l'occasion unique de tuer un dix cors. Regarde, il n'arrive plus à nager, il est épuisé.

– Paul, je t'en supplie.

– Non, Maryse. Ce cerf est gravement blessé. Ne crois-tu pas qu'il soit bon d'abréger ses souffrances ? »

Ses yeux se voilent. Des grains de givre se collent sur sa moustache blonde. Abréger ses souffrances ! Maryse le regarde avec intensité. Ils revoient tous les deux ce petit visage qui les implorait de faire quelque chose. Et jamais il ne leur était venu à l'idée d'aller plus vite que la nature. L'espoir, cette folle croyance au miracle, les avait retenus.

« Paul, ça ne peut pas durer ! » répète Maryse d'une voix décidée.

Dariot voit les hommes mettre pied à terre. Les chiens aboient sur la berge ; certains rentrent dans l'eau et nagent vers lui. Il devrait traverser l'étang, mais l'eau froide a fini d'anéantir ses dernières forces. Il s'arrache à grand-peine de la vase et court à découvert, les pattes lourdes comme des sacs jusqu'à ce qu'il s'écroule sur les genoux. Les chiens tournent autour de lui en une ronde braillarde. Jean les appelle et ils s'éloignent en gémissant. Le dix cors ne bouge pas. Il n'a plus de pattes, plus de corps. Il voit dans un brouillard les chasseurs s'approcher de lui.

« Enfin, nous le tenons !

– Attendez ! »

C'est Maryse qui a crié. Ils s'arrêtent, Paul, le premier, qui s'approche de sa femme, Jean, le garde-chasse, un homme épais et sanguin, Louis, l'ami de toujours de Paul, qui a été présent pendant le malheur, sa femme Mélanie, une grande brune un peu fantasque et généreuse. Les chevaux piaffent. Le grésil tombe encore, léger, et fait un bruit de crécelle sur les feuilles sèches d'un chêne.

Maryse quitte le groupe et se plante devant eux, à quelques pas du cerf.

« Attention ! crie le garde. C'est très dangereux ! »

Le dix cors a repris son souffle. La présence des hommes, leur odeur, leurs bruits, ces chiens qu'ils ont attachés et qui ne cessent de gémir et d'aboyer, imposent une nouvelle fuite. Il rassemble ses forces, se met sur ses pattes et court dans une ultime volonté vers le bois, où il disparaît. Les fusils sont restés au sol, à cause de Maryse qui se trouvait devant.

« Ça ne fait rien ! dit Jean. Il n'ira pas loin. Ce que vous avez fait, Maryse, est très risqué. Il aurait pu vous foncer dessus. »

Maryse arbore un air de défi :

« Il ne l'a pas fait ! »

Jean revient vers les chiens qu'il veut lancer de nouveau sur l'animal.

« C'est Noël, s'écrie Maryse, je vous demande un cadeau à vous tous, et ce cadeau, c'est la vie de ce cerf.

– Il souffre pour rien ! dit Paul.

– Sais-tu ce qu'est la souffrance chez un animal ? »

Ils se taisent. Tous pensent à la même chose. À cette Maryse en peignoir, les cheveux défaits, qui s'enferme des journées entières dans sa chambre. Louis décide :

« Comme tu veux, Maryse. Nous lui laisserons la vie sauve ! »

Paul regarde sa femme. Est-ce la même Maryse qui se traîne d'une pièce à l'autre et sombre dans des crises de migraines qui la tiennent au lit pendant plusieurs jours ? Cette femme qui a tenu tête à tout le monde pour une vie déjà condamnée est bien loin de l'épave dont il a perdu le désir. Il s'approche d'elle et lui dit à l'oreille :

« Tu as raison, il nous faut un autre enfant. »

Le visage de Maryse s'éclaire. Elle sourit comme personne ne l'a vue sourire depuis longtemps.

« Tu vas te soigner ?

223

– Oui. Je veux dénouer ce nœud de vipère qui m'étouffe et me sépare de toi. La belle femme que tu es aujourd'hui devrait être le meilleur des remèdes. »

Un déclic s'est produit ; une barrière vient de s'écrouler. À ce moment-là, il sent une vague de chaleur monter en lui, éclore comme une lourde fleur de printemps, s'ouvrir en une multitude de couleurs, un feu d'artifice éclatant qui le remplit de bonheur. Devant Maryse qui vient de retrouver sa détermination, il a eu une vision d'avenir. Le passé est devenu aussi léger qu'un drap tendu au vent. La certitude qu'il aurait un autre enfant s'est imposée à lui. Des images ont défilé devant ses yeux, l'enfant de douze ans apprenant à piloter un avion modèle réduit, l'adolescent le jour du bac, et le jeune homme à cheval près de lui au cours d'une chasse identique à celle-là.

« Bon, dit Louis, il fait froid. Rentrons. »

Le grand cerf voit devant lui un épais fourré bien abrité par des arbustes et des hautes fougères mortes. Il s'y dirige, s'y couche et sombre dans une léthargie qui ressemble au sommeil. Il ne sait pas qu'il vient de céder à la chose tant redoutée. La perte de son sang lui donne une mort douce, un apaisement total. Il vient seulement de s'endormir.

XIII

La dernière chance du saumon

Depuis plusieurs semaines, Buttet était parti pour le voyage du retour. Le grand poisson d'argent avait passé trois ans dans les eaux froides du Groenland, avec des millions d'autres saumons venus de toutes les côtes atlantique, d'Espagne, de France, d'Angleterre, des États-Unis, de Scandinavie, du Canada… Il s'y était goinfré de crevettes grises et de jeunes harengs.

L'appel n'avait pas été direct. Buttet avait commencé par tourner dans les grandes fosses de l'océan, mû par un impérieux besoin de mouvement, des signes invisibles, un fil d'Ariane dans le dédale d'algues, de rochers, de couloirs qui allait l'emporter là-bas, très loin vers une petite rivière où il était né cinq ans plus tôt.

Il n'avait pas besoin de chercher sa route, elle s'ouvrait devant lui, lumineuse et certaine. Il ne faisait plus attention aux éclats d'argent des bancs de poissonnets. Il évitait les nuages de crevettes : son estomac était fermé. Seul le voyage avait de l'importance. Là-bas, très loin, des galets dorés l'attendaient, ceux où, dans quelques mois, il déposerait ses œufs. Mécanique parfaite, il allait sans effort. Son corps profilé pénétrait cette eau dense où, parfois, une méduse ouverte comme une fleur flottait, entraînée au hasard des courants. Il passa près d'immenses baleines aux yeux minuscules qui poussaient des cris pleins de douceur. Parfois, montés des fonds abyssaux, d'étranges poissons aux mâchoires énormes venaient s'éblouir de lumière avant de disparaître dans leur royaume de la nuit éternelle. Il vit une tortue brouter l'herbe sur un rocher dressé comme un croc.

Tout cela passait dans le regard de Buttet sans y laisser la moindre impression. Le grand poisson n'en avait pas conscience. Il ne voyait que quelques éclairs que sa chair satisfaite ou fatiguée envoyait à son minuscule cerveau, petit ordinateur programmé pour la seule survie de l'espèce. Aussi savait-il fuir devant le requin bleu ou se cacher entre les algues. Ce n'était pas des actes volontaires, mais les comportements d'une machine vivante. Depuis des millions d'années, le saumon avait eu le temps de s'adapter, de se conformer aux exigences du grand voyage de retour sur les frayères natales. À l'inverse de Bunit, le chat, Huro, le sanglier, ou Flippo, le lièvre, Buttet n'était pas capable de prendre une décision réfléchie ; ses actes étaient commandés par la conjugaison d'un grand nombre de mécanismes qui permettaient de tirer parti des situations antérieures, et de ne pas commettre deux fois une erreur dont l'issue aurait pu être fatale.

Après des jours de voyage monotone, il arriva enfin à l'estuaire. L'eau était plus claire et sans sel. Buttet resta en retrait du courant pendant plusieurs semaines. Son corps se transformait, devenait celui d'un poisson de rivière. Un matin, tandis que le jour blanchissait sur les maisons de la côte, l'appel l'entraîna jusqu'aux premières cascades. Le miracle s'était encore opéré. Buttet ressemblait à une grosse truite qui se reposait dans un calme, derrière une pierre, ou franchissait d'un bond puissant l'eau blanche d'une chute. L'argent de sa livrée se rouillait. Quelques marbrures rouges se dessinaient sur ses flancs. Il retrouvait ses couleurs d'enfance.

La progression dans le fleuve était irrégulière. Parfois, il restait plusieurs jours immobile sur le fond, calé dans un calme. Survenait une pluie qui faisait monter le niveau de l'eau, et il repartait, toujours aussi puissant. D'autres saumons n'avaient pas eu sa chance. Ils s'étaient pris dans les filets des pêcheurs ou bien s'étaient perdus. Ceux-là étaient nés chez les hommes, avaient grandi dans des bassins en ciment, et à un an, avaient été déversés dans une rivière d'où ils étaient descendus à la mer. À l'heure du retour, leur instinct déréglé ne savait plus les guider. Tous les courants les appelaient, aucun ne leur convenait. Ils étaient condamnés à errer durant des mois.

Le but approchait. Après des semaines et des semaines de voyage, Buttet arrivait dans la rivière haute. L'eau peu profonde se gorgeait de soleil. Les galets avaient une couleur de pain chaud. C'était le printemps. Sur les cimes des montagnes voisines, la neige éclatait de blancheur. Le grand saumon était encore seul. Quelques autres poissons viendraient le rejoindre au cours du printemps et de l'été… La rivière, les rochers se souvenaient de ce temps où ils arrivaient par milliers. De cette espèce généreuse, décimée par la faute des hommes, il ne restait que quelques rares survivants.

Buttet sentait grossir les poches d'ovules. Son ventre s'arrondissait, ses déplacements devenaient plus lourds. L'eau froide lui donnait des réactions agressives. Parfois, sans raison, puisqu'il ne mangeait pas, il prenait une vandoise à pleine gueule avant de la recracher, déchiquetée par ses dents pointues. Ce comportement était destiné à éloigner les autres poissons du gravier qu'il creuserait avec sa queue. À leur tour, les mâles se battaient pour que les plus forts fécondent les ovules des meilleures femelles. C'était ainsi depuis toujours, nécessaire.

Mais ce temps n'était pas encore arrivé. Il restait des mois au grand poisson pour disputer sa place aux autres. Les feuilles qui poussaient sur les saules de la berge devraient grandir, brûler sous le soleil d'été puis se faner à l'automne. Des mois d'attente où tout pouvait arriver.

Janvier repose le téléphone. Encore une réponse négative. Encore un rêve qui s'envole. Il n'est pourtant pas vieux : quarante-huit ans, le bel âge, celui où les errements de la jeunesse disparaissent et où le corps et l'esprit conservent encore toutes leurs forces. Il est étranger dans sa maison. Que fait-il ici ? Et pourquoi s'obstiner à chercher du travail ? Pourquoi ne pas se laisser aller ? Sa femme a un bon salaire et lui dit toujours qu'il est surmené, que le temps passe vite et qu'ils ont mieux à faire qu'à se tracasser. Ils ont à redécouvrir une vie commune. Depuis tant d'années ensemble et séparés par leurs métiers. Ils se côtoient. Élise travaille au service de la paie dans une grande entreprise. Janvier était dessinateur dans un bureau d'études. Le dessin est sa passion, la seule chose qu'il sache faire. Tout allait si bien, trop bien ! Janvier était heureux dans son usine. Avec le temps, il la considérait un peu comme sienne, et ceux qui y travaillaient étaient sa famille. Puis les commandes devinrent rares, il fallut licencier, et comme il n'avait pas d'enfant... Depuis, il cherche.

Janvier se dirige vers la fenêtre, appelle sa femme. Dans la cour, sa voiture brille au soleil de mai. Élise est dehors comme chaque samedi matin. Elle s'occupe de son jardin, de ses rosiers. Janvier aussi aimait bien le jardinage, autrefois ; maintenant, le moindre effort le fatigue. Lui qui appréciait tant les vacances ne sait plus que faire de son temps. Son échec est amer. Là, en regardant les feuilles qui poussent sur les branches du tilleul, le désespoir lui noue la gorge. Il a le sentiment d'avoir été trompé toute sa vie, d'avoir cru à une chimère qui s'est transformée en bourreau. La belle est devenue monstre. Tout s'est refusé à lui : il aurait voulu créer son propre bureau d'études, mais n'en a jamais eu le courage, et il n'a pas eu d'enfant. Le voilà recalé par la vie. En marge des hommes, chômeur de longue durée.

Élise arrive. C'est une belle femme brune au visage en ovale, aux grands yeux noirs profonds. Généreuse, elle habille des enfants qu'elle n'a pas eus, les plus démunis de la ville. Quand Janvier l'appelle ainsi, c'est qu'il rumine ses idées sombres, qu'il est en pleine dépression. C'est un appel au secours.

« J'ai réfléchi… », dit-il en passant sa main droite dans ses cheveux blancs.

Élise sait que lorsque Janvier commence de cette manière, c'est qu'il va très mal. Elle tente de le distraire :

« Quand vas-tu à Brioude ? »

Le visage de l'homme s'éclaire. Brioude, sa ville natale. Il y a gardé une maison au bord de l'Allier, celle où il a grandi, la maison des souvenirs. Il se souvient des grands saumons qui franchissaient le seuil rocheux au bout du jardin, de son père qui manœuvrait la grande canne à mouche au milieu du courant… Alors, pour retrouver son enfance, pour chercher une continuité là où il n'y en a pas, Janvier est devenu pêcheur de saumons. Il a parcouru le monde, l'Alaska, l'Islande, la Norvège, il a fréquenté les plus belles rivières. Tout son argent y passait. Mais les joies des premières années ne se réinventent pas. Très vite, Janvier a buté contre son inconscience, le mur noir, le geste inutile, la prison qui se reforme autour de soi dès qu'on veut lui échapper.

« Je ne sais pas. D'ailleurs cela n'a pas beaucoup d'importance de retourner à Brioude. Il n'y a plus de saumons. Et puis, je me sens trop fatigué pour pêcher.

– Tu sais bien que ce n'est pas vrai ! »

Élise n'arrive pas toujours à trouver les mots qui rassurent. Elle ne saurait dire quand a commencé sa dépression. Probablement avant qu'il soit au chômage. La maladie grandissait en lui, sournoise, une salamandre cachée dans l'ombre et qui attendait son heure. Élise a tout essayé, mais comment pourrait-elle savoir ce qu'il ignore lui-même ? En un an, son état a empiré. Les idées sombres se sont emparées de lui, le dévorent. Un immense dégoût l'habite avec, confuse, une envie minuscule, de tout et de rien, indéfinie, mais brûlante comme la pointe d'une aiguille plantée dans le plus sensible de son être, le désir de quelque chose d'insaisissable, et que ni Élise et sa douceur, ni la pêche au saumon ne pourront lui donner.

La femme s'approche de Janvier, pose les mains sur ses épaules. Ils restent ainsi tous les deux serrés, présents l'un pour l'autre et en même temps absents.

« Janvier, tu sais bien ce que dit le docteur. Il faut te battre. Tu t'es battu toute ta vie et voilà que tu cèdes devant toi-même. Je t'en prie, allons à Brioude. Nous ferons de longues promenades dans les bois, tu parleras et je t'écouterai. Tu ne diras rien si tu veux. J'ai envie d'être de nouveau ta femme et de ne plus t'avoir comme un vieux mari abattu, mais comme un amant. »

Janvier promène ses lèvres sur la joue lisse de sa femme. Est-il possible de recommencer une nouvelle histoire ? Il s'englue dans une gangue de fatigue, sa tête lourde est vide. Comment se battre ou plutôt se débattre au fond du puits qui l'a englouti ? Sa vie est inutile, un emballage froissé et jeté au fossé. Lui qui a passé ses jours et ses nuits à travailler, à inventer des projets, a désormais beaucoup trop de temps, une infinité de temps qui le harcèle. Il voudrait dormir pour l'éternité.

« Janvier, je t'en conjure, tu n'es pas seul au monde. Je suis là, et moi je t'ai connu avant ta maladie. Je me souviens de tes enthousiasmes, de tes colères et de tes rires. Janvier, redeviens vivant. Tu peux encore la créer, ton entreprise… »

Il ne répond pas. Janvier n'est pas un homme communicatif. Sa pudeur l'empêche de s'ouvrir aux autres, même par une pensée anodine.

« Janvier, continue Élise, ce qui te manque, c'est une nouvelle passion ! »

Elle baisse ses beaux yeux noirs, consciente d'avouer son propre échec. Cette passion qu'il n'a pas eue pour elle, une autre aurait peut-être pu l'allumer !

« Nous allons partir pour Brioude, ce soir ! Il faut que tu te reposes. Allez, viens, je t'emmène déjeuner. »

Autrefois, Janvier aimait les bons restaurants, maintenant, il n'a plus faim. Les plats les plus raffinés le laissent indifférent. Une partie de sa personne s'est laissée mourir avant l'autre.

Buttet s'est immobilisé sur le fond. Une chose rouge vient de passer devant lui. Cette chose émet des vibrations que sa ligne latérale reçoit, un picotement. Elle s'éloigne puis repasse de nouveau, toujours plus près. Buttet fait un écart vers la droite pour l'éviter. La chose disparaît, puis passe encore, insistante, le frôle.

Il l'attaque. Ses mâchoires se referment sur cette curieuse crevette dont l'épine se plante dans sa lèvre dure. Une vive douleur éclate dans sa tête. Le saumon se rue vers le courant. Un fil invisible, une force, le tirent vers la berge. Il résiste ; ses muscles sont encore pleins de l'énergie puisée dans l'océan. Il se bat au milieu de la rivière, dans l'eau blanche des cascades, et la force cède. Pas pour longtemps : elle revient à la charge, freine le poisson qui doit fournir de plus en plus d'effort. Mais son instinct lui commande de résister jusqu'au bout, jusqu'à l'épuisement complet. Une nouvelle fois, il prend le courant. Au lieu de remonter cette eau brassée et froide, il part vers l'aval en s'aidant de son poids. Tout à coup, la traction mollit, disparaît. Buttet nage longtemps ; le voilà libre malgré cette chose encore plantée sur le bord de la gueule, vivante dans l'eau comme une fleur rouge. Il ne sait pas qu'il vient d'échapper à un pêcheur et n'a dû sa chance qu'à un nœud mal fait.

Janvier a accepté d'aller se reposer à Brioude. Élise et lui font de longues promenades sur les berges de l'Allier, mais Janvier n'a pas emporté ses cannes à pêche. Tout l'ennuie ; il se sent rejeté.

« Tu ne peux pas comprendre ! dit-il à Élise. Cette sensation d'être inutile, de ne servir à rien, de vivre comme un animal pour la simple satisfaction d'ouvrir les yeux et de respirer.

– Mais c'est déjà formidable de pouvoir ouvrir les yeux et de respirer. Comprends-tu le plaisir que l'on a de regarder autour de soi, de sentir l'air frais remplir ses poumons ? Tu veux des grandes sensations qui détruisent, alors que ton corps et ton esprit te procurent à chaque instant des joies qu'il te suffit de savoir savourer. »

Oui, il rêve de sensations extrêmes. Un brasier qui lui mangerait le ventre, amour ou haine, désir ou répulsion, mais quelque chose qui le tiendrait en vie. À mesure qu'il s'enfonce dans l'indifférence, il a la sensation de mourir. Son cœur s'affole puis semble s'arrêter. Mourir ? Pourquoi pas ?

De ses yeux, il parcourt le courant, se laisse emplir l'esprit de la lumière blanche que l'eau reflète.

« Là, dit-il à Élise, si nous revenions quarante ans en arrière, il y aurait un saumon, je le verrais, royal. Son grand corps aurait ondulé lentement, sans effort. J'aurais même vu la peau blanche à l'intérieur de sa mâchoire inférieure et ses nageoires déployées. Je verrais un poisson libre !

– Qui aurait fait des milliers de kilomètres pour déposer ses œufs dans ce gravier doré ! continue Élise. Et il se serait battu jusqu'à l'épuisement complet pour retourner à l'océan... »

Le regard de Janvier s'arrête sur tous les endroits où un poisson pourrait être posté. Tout à coup, il voit, calé devant un rocher, un fuseau sombre ; le flanc plus clair est piqué de points noirs. Janvier distingue nettement la tête du saumon, ses petits yeux jaunes pleins d'une vie insaisissable, d'un mystère lointain. Il tend le bras pour le montrer à Élise. La femme s'arrête, pose sa tête sur l'épaule de son mari.

« Comme il est beau ! » dit-elle.

C'est tout ce qu'elle sait dire devant ce poisson majestueux. Les idées se bousculent dans sa tête. Elle voudrait le prendre en exemple pour stimuler Janvier, mais elle ne sait pas le faire, tant les mots humains conviennent mal aux instincts des animaux.

Janvier fronce les sourcils :

« Qu'est-ce qu'il a au coin de la gueule ? Ma parole, c'est une mouche. Ce poisson a été piqué par un pêcheur… »

La découverte de ce saumon sur la rivière de son enfance réveille l'enthousiasme de Janvier qui décide de rester à Brioude. Il veut le revoir, le suivre dans sa progression jusqu'aux frayères et le protéger. Élise reprend espoir, mais pas pour longtemps. Le jeu amuse Janvier quelques jours, puis, comme le poisson a disparu dans les profondeurs du fleuve, l'homme retrouve ses idées noires, son envie de mort.

L'été a grillé les collines du Bourbonnais, desséché la grande plaine de Limagne. L'Allier n'a presque plus d'eau. Quelques filets coulent entre les rochers brûlants. Les poissons se sont réfugiés dans les grands fonds et attendent les crues d'automne pour retrouver leurs anciennes habitudes. Ils sont là, tous mêlés, brochets immobiles aux nageoires vibrantes, carpes lourdes et paresseuses, tanches, gardons… Buttet se terre dans le coin le plus sombre. Les petits poissons qui batifolent devant son nez n'ont rien à craindre de lui. Il n'a pas mangé depuis plusieurs mois, mais son estomac atrophié ne réclame aucune nourriture. Ses réserves de graisse, qui ont fondu en partie durant le voyage, seront suffisantes pour la fête finale, celle de la vie.

À la fin de l'été, une série d'orages fait gonfler le fleuve. L'appel de l'eau fraîche est entendu par tous les poissons qui retrouvent leurs anciennes habitudes. Seul, Buttet reste dans le calme profond. À mesure que les jours diminuent, que la lumière de midi est moins intense, la peau distendue de son abdomen le retient collé sur le fond. Le contact des galets lui devient nécessaire.

Il n'a plus été dérangé par les hommes. La fleur rouge au coin de sa gueule ne le gêne plus. Piqué à la gorge, l'hameçon aurait été détruit en quelques jours, mais sur la lèvre cornée, il faudra des mois pour que la rouille en vienne à bout. Cela n'a pas d'importance, Buttet ne garde aucune mémoire consciente de sa mésaventure qui, pourtant, reste inscrite dans son cerveau. Désormais, il n'attaque plus ce qui passe près de lui, c'est peut-être à cette fleur rouge, à la maladresse du premier pêcheur rencontré, qu'il doit d'être encore vivant.

Janvier redoute l'hiver. Les journées grises passées chez lui à se morfondre finissent de l'enfoncer dans sa défaite. Il ne dort plus, mange à peine. Son regard ne se pose sur rien, glisse d'un objet à l'autre, d'une personne à l'autre sans s'accrocher, sans rien prendre ni donner. Élise use ses forces à le soutenir. Elle multiplie les démarches pour lui trouver une occupation, mais Janvier n'est pas homme à accepter n'importe quoi. Il veut un véritable travail, pas une aumône. Ce n'est pas un mendiant. Il préférerait mourir plutôt que tendre la main. Son orgueil saigne à l'idée d'aller pointer au bureau du chômage. Chaque mois, Élise doit dépenser des trésors de diplomatie pour le décider, et s'il le fait, c'est pour ne pas être totalement à la charge de sa femme.

« Janvier, je t'en conjure, ne pense pas de cette manière. Je t'aime, alors j'ai du plaisir à te donner. Prends, Janvier, et trouve la force de te battre. Dans ton état, tu ne peux rien. Crois-tu qu'on va embaucher un malade ? »

Il le sait. Mais comment lutter, comment surmonter ce qui l'empêche de se rapprocher des autres, alors qu'il en a tant besoin ? À quarante-huit ans, on n'est rien sans une œuvre, si infime soit-elle, quelque chose qui relie aux autres hommes et rend plus douces les mauvaises années de la vieillesse. Un charpentier a ses charpentes dont il peut être fier, un plombier ses installations ; lui n'a rien. Son amour-propre saigne. Au début du chômage, il a tenté de reprendre ses anciens projets, ses inventions qu'il garde dans ses tiroirs, mais tout de suite, la difficulté lui a paru si grande qu'il a vite abandonné. Ce renoncement est bien la preuve de son incapacité.

Pour Noël, Élise a décidé de passer quelques jours à Brioude. Elle persiste à penser que ces séjours dans la maison natale de Janvier sont bénéfiques. Il fait froid, un de ces beaux froids de plein hiver, lumineux et calme. L'Allier roule des eaux aux reflets bleus. Il n'a pas plu depuis longtemps ; le fleuve est bas comme chaque année en cette saison. Élise et Janvier font de longues promenades le long des berges. Janvier oublie parfois, devant la beauté de ce paysage, ses renoncements et son envie de mort, mais pas pour longtemps. Jusque-là, quelque chose l'a retenu. Ce n'est pas la peur, ni l'espoir de redevenir un homme, mais une excessive pudeur et cet amour-propre démesuré qui l'empêchent de montrer sur lui la laideur du néant.

Cette fois, il a tout préparé dans le secret. Le pistolet acheté à Moulins le mois dernier est caché sous de vieux cartons au sous-sol. Le bon moment : ce matin à dix heures quand Élise sera dans son bain. Il sort la voiture sous prétexte de ranger le garage et place le pistolet dans la boîte à gants. Enfin, il ne va plus être regardé avec compassion, enfin, il va faire oublier cette image misérable qu'il refuse, retourner au néant de l'univers, perdre cette nature d'homme d'une ingratitude souveraine pour se mélanger à la terre, pour n'être qu'un élément parmi les éléments, source de nouvelle vie et d'éternité. Il va surtout rendre sa liberté à Élise.

Du garage, Janvier écoute claquer les portes, celle de la cuisine, celle du séjour qui grince en fin de course, celle de la salle de bains au bruit sec. Les pas de sa femme vont d'une pièce à l'autre. Le robinet de la baignoire s'arrête. Les dernières gouttes tombent sur l'eau avec un son cristallin de petite cloche. La fuite n'a pas été réparée. Depuis des mois, Élise demande à Janvier de changer le joint, et depuis des mois, il ne trouve pas la force de le faire.

Il monte dans sa voiture et part. Ses doigts ne tremblent pas sur le volant. Son esprit plein de nuit ne pense plus. Les yeux fixés sur la route, il va. Ses gestes sont ceux d'un automate. Il se rend à un rendez-vous fixé depuis longtemps, indépendant de sa volonté. Derrière ce rideau sombre, au-delà du coup de revolver dans la tempe, l'attend la paix. Sa souffrance va prendre fin, il n'a plus la force de la supporter. Voir son visage dans la glace lui donne la nausée. La haine pour lui-même est infinie. Accumulée au cours des années, des échecs successifs, elle pèse à cette heure de tout le poids de son dégoût.

La voiture traverse un village, passe devant une église. Janvier regarde les gens qui marchent dans la rue, qui se parlent, le journal sous le bras, le panier de courses à la main. Il voit cela comme au cinéma ; il

est déjà ailleurs, hors de la vie quotidienne. Le clocher qui se plante dans le ciel bleu retient son regard
un instant. Pourquoi les hommes ont-ils construit de
tels édifices ? Pour nourrir leurs espoirs ? Pour
oublier leur lâcheté ? Dieu peut-il exister quand le
monde bat de l'aile ?

La voiture roule le long de l'Allier. C'est de
là qu'il veut partir. Le soleil est doux sur les herbes
gelées. Janvier coupe le moteur, prend le pistolet, le
glisse dans sa poche et s'éloigne sur le chemin de
halage, sans se presser, comme un promeneur ordinaire.

Il marche jusqu'à une touffe de saules. Le
fleuve fait une anse où l'eau très claire est immobile. Le soleil a attiré un troupeau d'ablettes sous
la surface. Janvier regarde un moment les éclairs
d'argent des poissonnets. Les branches givrées brillent
au soleil. Deux corbeaux rament vers une lointaine
forêt…

Du bout des doigts, Janvier touche la crosse
froide du pistolet. Sa main se referme sur le métal, en
éprouve le poids. Tout à coup, ses yeux s'arrêtent sur
un grand poisson épuisé, couché sur le côté, les
flancs griffés, le cuir taillé par les cailloux. Sur le
bord de sa gueule, une fleur rouge rappelle une lointaine rencontre avec un pêcheur. Janvier sursaute :
c'est le saumon qu'il a vu l'été dernier avec Élise. Ce

fier poisson qui s'opposait au courant par de petites ondulations est là, maigre, épuisé, les ouïes battant à peine. Il tente vainement de rejoindre le courant qui l'emporterait jusqu'à l'océan, où l'attend une nouvelle vie. L'eau de mer va guérir ses plaies, il va repartir vers le Groenland, avec les jeunes smolts, puis refaire ses forces pour un nouveau voyage...

Janvier lâche le pistolet qui pèse de nouveau dans sa poche. C'est la fleur rouge qui retient son attention. Sans ce leurre, il n'aurait pas pris garde au poisson mourant. Il pense à son père qui actionnait le grand fouet au milieu du fleuve, à ses pêches passées...

Une voiture arrive à toute vitesse dans le chemin de halage, s'arrête à côté de celle de Janvier. Élise en sort en peignoir blanc, les cheveux mouillés, tente d'ouvrir la portière que Janvier a verrouillée.

« Vite ! crie-t-elle au conducteur. Il n'est pas très loin. »

La voiture repart. Élise se mord la lèvre inférieure jusqu'au sang. Il fait froid, mais elle ne le sent pas. Janvier est peut-être mort, et cela, elle ne pourra pas le supporter. Janvier, à cette heure, c'est toute sa vie, même si elle a conscience de ne pas l'avoir toujours aimé avec autant de force qu'il aurait fallu pour éviter le naufrage. Le véhicule cahote dans les ornières durcies par le gel. Ils arrivent enfin à la touffe de saules. Élise voit Janvier, les pieds dans l'eau, penché sur le courant. Elle se précipite, crie si fort qu'on a dû l'entendre du village. Janvier est là, les bras jusqu'au coude dans l'eau glacée, et tient un saumon dans le courant. Le poisson a la gueule ouverte, l'eau pleine d'oxygène caresse ses branchies. La petite fleur rouge vibre au coin de ses lèvres.

« Janvier ! Tu vas attraper du mal.

– Je sauve ce saumon… »

Élise éclate d'un rire nerveux, se libère de cette angoisse étouffante qui l'a fait courir jusqu'ici en robe de chambre sans prendre le temps de se sécher les cheveux. Elle a eu si peur !

Buttet a repris des forces. L'oxygène de cette eau pure a guéri ses muscles mâchés par les coups. Son vieux corps a échappé à l'asphyxie et peut, désormais, nager dans le courant qui va l'emporter à des milliers de kilomètres de là.

Janvier regarde le saumon s'éloigner. Il sent toujours le poids du pistolet dans sa poche.

« Va… Cette fois, c'est certain, tu retourneras à la mer ! »

L'homme ne sent pas le froid. Sa tête est en ébullition. Il a envie de parcourir les berges de ce fleuve pour sauver tous les saumons en perdition, les vieux poissons, mais aussi les jeunes, ceux qui bientôt vont sortir du gravier où Buttet a enfoui ses œufs. Bien des périls les menacent, et pourtant, ils font partie du grand manège de la vie, de cette célébration perpétuelle de la terre, un hommage rendu à quelque chose ou quelqu'un qui échappe aux lois matérielles. N'est-ce pas cette œuvre qui pourrait le rattacher aux autres et à tout l'Univers ? Une lueur s'allume dans son esprit. D'abord petite étincelle, elle grandit, se brise en miettes, devient brasier. Son cœur bat très vite, il a chaud de cette chaleur que seule la passion peut répandre dans la chair.

Pour cette fois, Janvier est sauvé. Mais y aura-t-il toujours une petite fleur rouge sur son chemin ?

XIV

Le pigeon qui volait dans sa tête

Roucou n'avait dû sa vie qu'au hasard. Ses parents se battaient ; cela arrive chez les pigeons comme chez les hommes. Son père était un vieux mâle capricieux, sa mère une pigeonne de l'année. Roucou fut poussé hors du nid et tomba dans la cour de la ferme en agitant ses moignons d'ailes. Il était encore un pigeonneau sans plumes, au gros bec mou, à la tête rouge et ridée. Le coq commença à piocher cette chair tremblante, arracha des lambeaux de peau sur son dos. Les poules arrivèrent et se disputèrent cette nourriture tombée du ciel. L'une prit l'oisillon par l'aile droite, l'autre par le cou…

Martin passa à ce moment. C'était l'enfant de la ferme. Pas un élève appliqué comme son cousin Jérôme, non, un coureur de chemins creux, saute-ruisseau et barboteur de mares. Il dénichait le geai et le corbeau, étouffait le jeune merle volé dans le

247

nid, posait des collets dans le passage du lapin. Habile à manier le chiffon rouge et la canne à pêche, il prenait de pleins sacs de grenouilles vertes, des goujons frétillants et des truites à odeur de mousse. Ses maîtres disaient de lui qu'il ne ferait jamais rien de bon. Martin s'en moquait. Il vivait sa vie d'enfant sauvage, au jour le jour, sans se demander ce que demain lui volerait.

Il chassa les poules braillardes, prit l'oisillon ensanglanté au creux de ses mains. Il le mit dans une boîte de carton près du feu et, muni d'une paille, lui souffla du fromage blanc dans le jabot. Roucou survécut. Des croûtes sombres se formèrent sur son dos. Ses plumes poussèrent, sauf celles de son aile droite qui resta naine.

Martin emportait partout son oiseau qui ne volerait jamais. Son infirmité augmentait sa grâce aux yeux de l'enfant.

Roucou resta donc en retrait des autres pigeons. Il ne connaissait rien des vols au-dessus des maisons, ailes claquant dans l'air frais du matin, rien de cette ivresse, cette douce vibration de tout le corps au moment de se laisser tomber dans le vide. Privé d'une aile, la notion de vol ne s'était pas développée en lui. Cela ne l'empêchait pas de reconnaître Martin, de courir vers l'enfant quand il le voyait revenir de l'école. Cela ne l'empêchait pas, non plus, de se méfier du coq au bec puissant, du dindon toujours de mauvaise humeur, de l'épervier dont les sifflements lugubres terrorisaient la basse-cour tout entière.

Martin le posait sur son épaule et s'en allait dans la campagne. Là, Roucou ne redoutait rien ni personne. À la nuit, l'enfant le remettait dans sa cage. C'était ainsi depuis toujours, il ne pouvait en être autrement : l'alternative n'existe pas pour un pigeon.

Martin avait un royaume, le grenier à côté du pigeonnier. Il y passait des heures à fouiller dans de vieux coffres, il s'y inventait d'autres vies et s'y cachait pour écouter ses parents se disputer chaque fois plus fort, chaque fois avec des mots plus tranchants. Et Roucou, de ses yeux rouges d'oiseau, regardait ce petit d'homme se recroqueviller, serrer ses genoux dans ses bras, enfoncer sa tête dans les vieux chiffons qui sentaient la poussière de grain et la toile d'araignée. Perché sur le dossier d'une vieille chaise, il attendait.

La première dispute avait éclaté pour un rien, un chapeau que la mère de Martin avait acheté, un chapeau noir que l'enfant ne trouva pas beau. Son père, un homme brun à la moustache épaisse, avait haussé les épaules. À table, il bouda le riz à la tomate : il en mangeait tous les jours et n'en voulait plus. Bien sûr, Mariette avait plus d'imagination pour s'acheter un chapeau, pour aller faire la coquette dans les rues de Tulle, se montrer aux regards des hommes. Mariette dit qu'elle en avait assez de vivre avec un ivrogne…

Pendant l'hiver, après une dispute plus violente que les autres, Pierre, le père de Martin, s'en alla et ne revint pas de trois jours. Martin en demanda la raison à sa mère qui ne lui répondit pas. Elle se préparait à sortir et, devant la glace, positionnait son chapeau sur ses cheveux.

Le printemps vint. Roucou, qu'on laissait parfois en liberté, était malgré lui attiré par les pigeonnes qui se posaient dans la basse-cour. Et il tournait autour d'elles en roucoulant et gonflant les plumes irisées de son cou. Tout allait bien jusqu'à ce qu'elles s'envolent sur la cheminée. L'instinct lui ordonnait de les suivre, mais il avait beau battre de son aile valide, il restait cloué à terre au milieu d'un nuage de poussière blanche.

Le printemps passa. Les jeunes piaulaient dans les nids. Martin s'occupait toujours de Roucou, mais pas avec autant de sollicitude qu'autrefois. Parfois, il l'oubliait dans sa cage. Alors, Roucou restait des heures immobile, les plumes hérissées. Il regardait le chemin, les poules qui grattaient le sable. Il n'éprouvait pas de véritables sentiments, mais dans ces instants, il ressentait l'envie de quelque chose, un désir qui lui séchait la gorge. Alors, il pensait à l'eau de la source, à y enfoncer sa tête et à boire jusqu'à avoir le jabot distendu.

Maintenant, les disputes entre l'homme et la femme n'en finissaient pas. Mariette s'en allait tous les jours à Tulle et Pierre oubliait sa ferme pour jouer aux cartes et boire au bistrot le plus proche. Il rentrait le soir en titubant et menaçait l'enfant qui l'avait surpris plusieurs fois en train de montrer le poing aux arbres. Martin savait que son père était malheureux, il avait envie de courir vers lui, de se serrer contre lui, mais il ne le faisait pas : quelque chose l'en empêchait, quelque chose de dur dans son ventre.

Sa mère n'était plus la même. Elle changeait de robe tous les jours et se fardait. Son rouge à lèvres éclatait entre les meubles ternes de la maison. Martin ne la reconnaissait plus, et lorsqu'elle lui parlait, il entendait quelqu'un d'autre, une personne étrangère surgie au hasard d'un chemin. Ses absences étaient quotidiennes. Parfois, elle rentrait très tard, tandis que Martin grelottait au fond de son lit. Pourtant, il ne faisait pas froid, c'était son cœur qui glaçait son sang. Une nuit, elle ne rentra pas. Martin ne s'en étonna pas, même s'il fut pris de tremblements qu'il ne put contenir. Il se savait seul, perdu dans cette immensité de collines, de maisons, de chemins et d'adultes. Seul comme son pigeon, et comme lui infirme de cette chose essentielle dont il ne comprenait que maintenant le poids et l'importance. Il était déjà orphelin. Son père le prit à part et voulut lui parler, comme le font les grandes personnes lorsqu'elles sont embarrassées, avec des mots confus qui se contredisent. Le tribunal avait décidé que Martin irait vivre avec sa mère et un nouveau papa. L'enfant prit son pigeon et s'en alla dans la forêt. Il marcha longtemps au hasard des sentiers. Les oiseaux ne lui faisaient plus de signes. Il ne vit pas Furtif, le renard, le regarder de loin, immobile et si semblable au sol roux. Furtif partit, sans se douter que ce petit d'homme portait une montagne.

Martin ne savait plus très bien ce qu'il regrettait : sa forêt, ses mares, ses rêves nichés dans chaque repli du terrain, sa maison où il avait ses habitudes, ou son père. Il lui semblait que ce départ était une mort. Le Martin qui allait vivre à la ville avec ce nouveau papa et cette maman était un autre garçon qui allait prendre sa place dans son corps. Pourtant, il l'acceptait, avec ce fatalisme des enfants dont on a brisé le cours habituel des jours.

Sa mère vint le chercher en voiture. Elle chargea elle-même les valises. Pierre était parti au bistrot.

Martin en fut soulagé ; il ne voulait pas lui dire au revoir, pour des raisons confuses et contradictoires. Il aimait son père, cela l'enfant le sentait très fort en lui, mais il ne voulait pas le voir et, en partant dans cette voiture, il avait l'impression de le trahir. Quand ce fut le moment, Martin alla chercher Roucou. Sa mère prit un air horrifié. Depuis qu'elle n'habitait plus à la ferme, elle ne parlait pas de la même manière, elle s'habillait comme une dame de la ville, se fardait beaucoup comme si elle se cachait.

« Qu'est-ce que tu veux faire de cet ignoble oiseau ? On ne va pas l'emmener chez nous ! Jacques se fâcherait. »

Martin eut un moment d'hésitation. Il regarda le chemin qui s'enfonçait vers la forêt, eut la tentation de s'enfuir à toutes jambes, de disparaître sous la terre. Il osa insister :

« Mais Roucou ne fera pas de saletés, je le laisserai dans sa cage et dehors, dans la cour… »

Mariette eut un sourire tendre. Elle caressa les cheveux de Martin.

« Il n'y a pas de cour. Nous habitons un appartement. C'est pas comme ici. La place manque et ton pigeon sera malheureux. Tu viendras le voir toutes les semaines. »

La pensée que Roucou pût être malheureux résigna l'enfant. Il savait que son père lui donnerait à manger, et puisqu'il viendrait toutes les semaines… Martin rapporta le pigeon dans sa cage et monta dans la voiture. Quand la portière claqua, il eut l'impression d'entendre un coup de tonnerre, un grondement qui le secoua violemment. Il quittait définitivement l'enfance.

Pierre vivait seul dans la ferme. Chaque soir, il allait au bistrot et revenait tard dans la nuit. Il titubait. Le silence de la maison lui résonnait dans les oreilles. Il s'asseyait à table, se vidait un verre de gnôle, buvait jusqu'à ce que ses pensées se brouillent dans sa tête. Alors, des images lumineuses éclairaient le mur de sa solitude. Il voulait reconquérir sa femme. Mariette devait s'ennuyer dans cette ville. Elle regrettait déjà d'être partie, parce que l'autre, celui avec qui elle vivait, n'était pas un homme pour elle. Pierre se découvrait la témérité d'un héros et l'obstination d'une fourmi.

Roucou se tassait dans le fond de sa cage. Il ne savait pas pourquoi, mais l'impression de ne plus avoir de chair sous ses plumes le faisait trembler. Le froid pénétrait ses os. Pierre lui apportait des graines et de l'eau, mais l'oiseau ne mangeait pas. L'image furtive de Martin passait devant ses yeux, comme un éclair. Le temps n'existait pas pour lui, et pourtant, il était probablement le seul pigeon au monde à éprouver cette sensation d'être une coquille vide. Il ne savait pas ce qui lui manquait, si c'était Martin ou les autres pigeons, la vie fuyait de lui comme une fumée légère qui s'éparpille dans le vent.

Pierre, entre deux verres de gnôle, levait les yeux vers la cage. Il voyait cet oiseau prostré, les plumes hérissées. L'idée lui vint de le prendre dans ses mains. Roucou ne se débattit pas. Ce contact avec cet homme qu'il connaissait lui fit du bien. Depuis le départ de l'enfant, personne ne l'avait caressé et cela lui manquait. Il ressentit une douce chaleur progresser sous ses plumes.

Lorsque l'homme le posa sur la table à côté de lui, Roucou gonfla ses plumes en guise de contentement. Pierre lui tendit quelques miettes ; le pigeon les picora, bercé par la voix un peu rauque.

« Toi aussi, pauvre vieux, tu es seul. Dans cette cage, avec toujours le même mur à regarder. Et tu bois de l'eau ! »

Cette constatation émut l'ivrogne. Le pigeon n'avait donc rien pour supporter sa solitude ! La seule pensée qu'il dût, lui, supporter la sienne sans alcool était intolérable. Il alla chercher un verre qu'il remplit d'eau et dans laquelle il laissa tomber quelques gouttes de gnôle.

Roucou avait soif. Avec le contact de ces mains, la vie reprenait possession de son corps. Il picora d'autres miettes éparses sur la table et plongea son bec dans le verre. Il but quelques gorgées, en pigeon, c'est-à-dire goulûment, puis recula. Une étrange brûlure parcourait son gosier et son jabot. Il resta un moment en proie à cette douleur qui n'était pas vraiment désagréable. Il voulut marcher et la table se déroba sous lui. L'homme se mit à rire. Il rit encore plus fort quand il vit le pigeon tituber, incliner la tête dans tous les sens. Roucou voyait défiler la table, l'homme, la pendule, les murs, tout tournait très vite. Il écarta son aile valide pour prendre appui. Pierre, qui riait toujours, saisit Roucou et le mit dans la cage. Le pigeon resta immobile tant que dura cette sensation de roulis. L'homme éteignit la lumière et alla se coucher.

Le lendemain, Martin vint le voir. Une voiture le posa au bout du chemin, près du portail de la ferme. C'était un petit garçon vêtu de neuf, pantalon sombre, veste bleue. Il marchait dans l'entrée, ses chaussures de ville glissaient sur la boue. Il embrassa son père, caressa le chien qui tournait autour de lui en remuant la queue, puis se dirigea vers la cage. Roucou vit apparaître à travers le grillage de la porte ce visage qu'il connaissait, il eut très chaud, plus encore que la veille après avoir bu l'eau du verre. Il s'avança tandis que l'enfant ouvrait la cage et sauta sur son épaule. Martin pleurait de bonheur et promenait ses lèvres sur les plumes chaudes en disant des mots tendres.

Il repartit dans ses chemins, s'approcha de la mare où les grenouilles s'arrêtèrent de croasser. Roucou sur son épaule, il refit les itinéraires d'autrefois, cherchant dans cette campagne familière la force de supporter le présent. Il parlait au pigeon :

« Là-bas, c'est la ville, mon Roucou. C'est la prison. L'appartement tout petit et les escaliers qui n'en finissent pas. Et puis, il y a Jacques. Je l'aime pas. Jacques dit que je suis mal élevé, qu'il faut me dresser, et veut me mettre en pension. Maman ne sait rien lui refuser. Si tu savais comme je suis malheureux. Parfois, j'ai envie de mourir ! »

Roucou ne comprenait pas ce que disait l'enfant, pourtant le son de cette voix reconnue le berçait.

Le soir, la voiture revint chercher Martin. Il posa son oiseau dans la cage en pleurant. La porte fermée, il fit un serment :

« Je te jure que bientôt je t'emporterai avec moi. »

C'était dit. Martin ne savait pas comment il réaliserait cette folie, mais il la réaliserait. Il embrassa son père qui lui glissa maladroitement une pièce de monnaie dans la poche, lui dit qu'il s'ennuyait sans lui et qu'il demanderait au juge l'autorisation de le prendre pendant les prochaines vacances.

Le juge ! Martin ne savait pas ce que venait faire cet homme entre lui et son père. Il partit en courant tandis que dans la voiture, le chauffeur s'impatientait et klaxonnait.

Le soir, Pierre prit l'oiseau et lui versa à boire de l'eau brûlante. Roucou y plongea son bec et eut de nouveau cette sensation que tout tournait autour de lui. Mais à la différence de la veille, c'était agréable. Quand l'homme le remit dans sa cage, Roucou enfouit sa tête au chaud sous son aile valide et s'endormit profondément. Il se réveilla le matin dans une cuisine vide où seules vivaient la pendule et les mouches autour de la lampe éteinte. Pierre devait être parti dans les champs ou au bistrot. Roucou ressentait l'envie de quelque chose d'indéfini, un manque qui creusait un trou dans son corps. Il passa la journée à guetter Pierre derrière le grillage de sa cage. Le soir, il but de nouveau au verre que l'homme plaça devant lui. À mesure qu'il remplissait son jabot de cette eau qui laissait en lui un feu devenu nécessaire, il ressentait comme un contentement de sa chair, l'impression de ne pas avoir de poids, et cette volupté propre aux oiseaux quand ils planent au-dessus des maisons. Roucou volait dans sa tête. Il planait dans l'air invisible, virevoltait, avec cette liberté qu'il découvrait cachée au fond de son minuscule cerveau.

Les jours passaient ; l'automne était venu, plein de couleurs chaudes et de matinées scintillantes, puis l'hiver. Les visites de Martin étaient régulières ; pourtant, lorsque la neige se mit à tomber, il ne vint plus. Le pigeon ne l'attendait pas avec autant d'impatience qu'avant. Il attendait Pierre pour boire. Dans la journée, le trou dans son corps se creusait, toujours plus grand. Il restait au bord de sa cage, la tête près du grillage, en proie à cette douleur qui n'en était pas vraiment une, mais qui le torturait. Il avait toujours envie de plonger son bec dans l'eau de l'homme. Chaque jour, il en buvait davantage pour atteindre cet instant sublime où il s'envolait à tire-d'aile, où les images défilaient devant lui, des ciels sans fin, des faîtages sur lesquels il se posait avec les autres pigeons. Après ces magnifiques visions, il s'endormait avec la sensation que chaque fibre de son corps vivait avec une force inconnue jusque-là.

Quand la neige fut fondue, la voiture s'arrêta de nouveau au portail de la ferme. Martin longea l'allée en sifflotant. Il semblait tout heureux de revenir. Enfin, il avait obtenu des grandes personnes la permission de prendre son pigeon avec lui. Le soir, il embrassa son père et partit avec la cage sous le bras. Il installa l'oiseau sur le balcon de l'appartement et lui porta des graines, les plus belles qu'il put trouver chez le marchand. Mariette avait réussi à persuader Jacques d'accepter l'oiseau. Jacques n'était pas un mauvais bougre. Il s'était finalement attaché à

Martin, cet enfant sauvage que la ville était en train de domestiquer.

Roucou découvrit le petit espace du balcon, les odeurs qui montaient de la rue, si différentes de celles dont il avait l'habitude. Martin restait long-temps près de lui, le prenait sur son épaule, lui disait des paroles pleines de musique. Il lui parlait de sa vie, l'école, les copains, et de ses souvenirs à la ferme qui étaient autant de regrets. Ici, il n'y avait pas de nid à piller, pas de lapin à colleter, il n'y avait que des trottoirs lisses et des gens pressés. Le pigeon écou-tait tout cela tandis qu'un malaise croissait en lui, un désir toujours plus ardent, un manque poignant. Il mangea un peu puis voulut boire. L'eau de Martin lui parut fade. Quand les hommes furent partis se cou-cher, l'oiseau se terra au fond de sa cage, les plumes hérissées, en proie à un tremblement incontrôlable. Une douleur aiguë tenaillait sa poitrine et l'image du verre sur la table ne cessait de le hanter. Il ne voyait que lui sur la nuit où clignotaient des lumières loin-taines.

Le lendemain, Martin lui apporta à manger de succulentes graines, mais le pigeon ne bougea pas. Martin s'en étonna et pensa que Roucou était malade. Il fallait le soigner. Jacques dit qu'il s'ennuyait de la ferme et que tout allait s'arranger. Martin partit à l'école en reniflant sa peine.

Le pigeon qui volait dans sa tête

Toute la journée, la douleur ne cessa de torturer Roucou, puissante, vive. Elle mordait sa chair, arrachait sa peau. Il avait mal aux plumes et chaque mouvement lui coûtait un effort considérable. Il ouvrit son aile unique et voulut revoir les images perdues, les toitures défiler sous lui, les glissades dans un air limpide et frais, mais rien ne s'inscrivait sur l'écran de sa tête, sinon ce verre toujours plus grand, toujours plus vrai, plus nécessaire.

Martin rentra en courant de cette école qu'il haïssait, où rien de ce qu'on l'obligeait à apprendre ne l'intéressait. Durant ces heures vides, il n'avait eu qu'une pensée, son pigeon malade. Il trouva Roucou comme il l'avait laissé, hérissé dans un coin de la cage. L'oiseau n'avait pas touché aux graines ni à l'eau ; son regard vitreux était absent. Martin pleura longtemps près de lui.

Jacques expliqua qu'il fallait attendre encore quelques jours. Il promit d'appeler un vétérinaire. Martin s'essuya les yeux. Les chagrins d'enfant ne sont pas muets comme ceux des adultes, mais les larmes ne suffisent pas toujours à les éteindre.

Trois jours passèrent. Roucou ne bougeait plus. Son corps raidi était froid. Martin lui avait fabriqué un nid avec des chiffons et de la laine, ce qui ne changea rien. Il se recroquevillait en boule, la tête dans les plumes. Ses yeux rouges avaient perdu tout éclat. Roucou se laissait mourir, victime de la perversité des hommes. Sa torture, qui était déjà une agonie, provenait de gestes irréfléchis, meurtriers, ceux d'un ivrogne perdu au fond de sa solitude, même pas condamnable.

Martin était persuadé que son oiseau s'ennuyait de la ferme, et cela réveilla son propre ennui à peine oublié. Il se prit à rêver de chemins creux, de mares à grenouilles, de haies où se cachent les nids, comme des fruits défendus offerts à la seule convoitise de ceux qui ont accès aux secrets de la nature. La pensée que son pigeon se laissait mourir le décida.

Il attendit que sa mère et Jacques fussent couchés, puis se leva dans la nuit, s'habilla en silence. Il avait pris soin de laisser ouverte la porte du couloir qui grinçait. La veille, il s'était entraîné à tourner la clef de l'entrée sans le moindre bruit. La cage de l'oiseau sous le bras, Martin descendit les escaliers à tâtons, poussa l'énorme porte cochère qui émit un grognement sourd de bois dérangé. La rue était devant lui ; il courut à perdre haleine, respirant à pleins poumons cette nuit fraîche qui avait englouti tous les hommes.

Quand il eut dépassé les dernières maisons, les derniers lampadaires, il s'arrêta, le souffle court. Les bruits qui venaient de l'ombre le faisaient sursauter. Il eut envie de faire demi-tour, mais à l'idée de l'école, des trottoirs, du minuscule appartement, il recommença à courir.

Il courut jusqu'à ce qu'il n'eût plus de force dans les jambes, que son cœur éclate dans sa poitrine. Le mur de la nuit se dressait autour de lui, l'écrasait. Les larmes noyaient ses yeux. À son bras, la cage pesait de plus en plus. Où allait-il ? La ferme de son père était-elle au bout de cette route ou d'une autre ? Il décida de se reposer un instant dans le fossé, s'assit sur une touffe d'herbe. Ses paupières se baissèrent, il sombra dans un profond sommeil.

Mariette revint affolée de la chambre. Martin n'était pas dans son lit. Dehors, le jour se levait ; Jacques était déjà parti au travail. La femme tourna dans l'appartement, passa en revue toutes les pièces et s'aperçut que la cage aussi avait disparu. Elle comprit tout de suite, descendit rapidement les escaliers, monta dans sa voiture, traversa la ville en direction de la ferme. Au bout de quelques kilomètres, une forme sombre dans le fossé attira son attention. Elle s'arrêta et vit son enfant toujours endormi à côté de la cage. Elle le prit contre elle et pleura à son tour, des larmes qui n'étaient pas seulement celles de la peur.

« Mon petit Martin, comme tu dois m'en vouloir, comme tu dois être malheureux pour t'en aller en pleine nuit… »

LE CHAT DERRIÈRE LA VITRE

À cette heure, Mariette regrettait beaucoup de choses, même si elle savait que rien ne pouvait changer. N'avait-elle pas eu tort de croire qu'on pouvait vivre plusieurs fois ? Le soleil se levait.

Martin s'éveilla, transi, surpris de se trouver au bord de cette route. Il avait brusquement froid.

Dans la cage, le pigeon était mort.

XV

La loutre et la vieille femme

GLITTA, LA LOUTRE, leva au vent son museau court et pointa ses minuscules oreilles rondes. Ses petits yeux noirs brillaient. La lumière épaisse d'un soleil rasant s'accrochait à ses poils noirs et coulait en étincelles le long de ses flancs. Elle fit quelques pas hors de son terrier. Un gros échassier la regarda et s'éloigna de son pas maladroit et trop grand. Un poisson troua la surface et disparut dans la profondeur noire du fleuve. Glitta aimait cette heure du matin où les odeurs épaisses de la nuit s'étalent encore sur le sol, tandis que celles du jour, plus légères, montent dans l'air froid. Elle y sentait à l'avance les pluies du printemps, les orages d'été et les premiers gels de l'automne.

Elle se tourna vers la petite maison qui fumait. C'était la seule de la vallée, plantée sur un monticule avec, autour, un petit jardin fleuri. Glitta connaissait la femme qui y habitait. Sa figure à la peau nue était craquelée. Ses petits yeux d'encre brillaient comme un rayon de soleil sur une goutte de rosée. Sa peau était creusée de profondes rides ; sur sa tête, les cheveux blancs étaient rassemblés en une pelote, comme une pomme. Glitta redoutait les hommes ; un puissant instinct la poussait à fuir dès qu'ils apparaissaient au bord du fleuve, mais la vieille femme ne lui causait aucun effroi. La loutre la regardait porter du bois dans ses bras ou du grain pour les poules. Elle l'entendait dire, une main en visière sur le front :

« Pourquoi vous me l'avez pris, mon Dieu ? Moi qui suis si vieille, j'avais tant besoin de lui ! »

Dans les yeux noirs de la femme, la perle de lumière se brisait, alors Glitta, sans savoir pourquoi, sentait une curieuse douleur se promener dans son ventre.

Les crues du fleuve étaient rares et ne surprenaient pas la loutre. Elle les attendait. Les poissons se rassemblaient dans les calmes et Glitta n'avait qu'à les cueillir. L'eau était son élément. Elle y plongeait sans bruit, sans la moindre éclaboussure, se détendait dans le courant, ressort puissant et souple, sans poids, se perdait dans les longues herbes molles, surprenait une carpe qu'elle happait au passage entre ses dents pointues. Elle l'emportait sur la berge en plein soleil. Ses petites prunelles noires luisaient. Regarder le grand poisson animé de soubre-sauts creusait son estomac et faisait jaillir une abondante salive dans sa bouche.

Parfois, un autre homme fréquentait le bord du fleuve. Il déployait sur l'eau une énorme toile d'araignée qui s'enfonçait dans le courant. Ces jours-là, la loutre n'allait pas voir la vieille femme : c'était cet homme qui avait pris son compagnon, le printemps dernier. Il avait pointé sur lui son fusil plein de lumière d'argent. Il y avait eu un claquement sec et son compagnon qui venait de si loin était tombé sur l'herbe, immobile. Du sang tachait sa tête broyée. Glitta, qui ne savait rien de la mort, avait fui, prise d'une peur panique dont elle ne connaissait pas la raison. Depuis, elle était seule.

« Armand, avait demandé la vieille femme, pourquoi l'avoir tuée ?

– Mais Louisette, parce que ça mange tous les poissons ! »

Armand s'était éloigné dans le chemin. Il se tourna vers la vieille femme :

« Ce barrage, vous avez des nouvelles ?

– Ils m'ont dit qu'ils allaient noyer ma maison. Moi, je partirai jamais d'ici. C'est ce qui me reste de mon Henri. Je préfère mourir, vous entendez !

– Bah, vous serez mieux à Saint-Jacques. Ici, vous ne voyez jamais personne.

« – Je ne veux pas laisser mes souvenirs au fond de l'eau. »

Quand Armand fut parti avec un plein sac de poissons, Glitta sortit de sa cachette et s'approcha de la maison. Elle vit Louisette s'agenouiller près d'un rocher pointu, joindre les mains et baisser la tête. La loutre l'entendit murmurer :

« Mon Dieu, arrêtez le barrage ! Vous m'avez déjà pris mon Henri. Je vous ai offert toute ma souffrance. Ne me prenez pas ce qu'il reste de notre vie, cette maison où on a été heureux ! Vous pouvez me prendre, moi, mais ne noyez pas la maison où nos enfants sont nés. »

Elle souleva ses épaules dans un geste que Glitta ne comprit pas.

« Henri, toi qui m'entends, tu sais ce qu'ils veulent faire de notre maison ? La laisser pourrir dans la vase ! Je le supporterai pas ! Tu te rends compte, notre maison… »

Glitta s'éloigna. Le fleuve l'appelait, venant des lointaines montagnes que la neige coiffait même en été. Elle ne s'étonnait plus de ne pas rencontrer d'autres loutres et de trouver des terriers vides. Armand, ou ceux de son espèce, avaient tué tous les animaux qui mangeaient leurs poissons, leurs poules ou dévastaient leurs champs de maïs.

La loutre et la vieille femme

Quand elle s'enfonça dans les eaux froides, l'image de la vieille femme à genoux rôdait encore dans son cerveau. Elle sentait dans le bruit de cette voix comme un appel, un peu semblable au sien quand son compagnon avait disparu. Une curieuse douleur cheminait au creux de son ventre et elle eut envie de retourner vers la petite maison. Quand elle sortit, toute luisante de soleil entre les joncs, elle vit Louisette toujours à genoux. L'animal voulut se montrer comme si, entre lui et cette femme, il y avait un lien, une parenté, le besoin d'être ensemble.

Glitta s'approcha et les yeux de la vieille se posèrent sur elle.

« Une loutre. Henri, c'est toi qui me l'envoies ? »

Elle tendit la main vers Glitta, qui eut peur et s'enfuit dans le fleuve. Louisette s'abandonnait à ses souvenirs :

« C'était en quelle année qu'une loutre était venue dans le moulin ? »

Les jours passaient. Les petits que Glitta portait naquirent au printemps suivant dans un nid de terre douce et tiède. Quand ils dormaient, petites boules noires, Glitta, qui les savait en sécurité, allait nager dans les eaux sombres et froides. Elle exécutait des séries de cabrioles au milieu du fleuve, des danses fantasques. Elle faisait irruption au milieu du troupeau endormi des tanches, y semait une panique effroyable. Elle était légère comme de la fumée, souple comme une herbe d'eau. De loin en loin, elle remontait à la surface, pour remplir ses poumons d'air humide de nuit, se laissait aller sur le flanc, pareille à un bateau sans quille, puis se dressait d'un bond, happait un poisson argenté dont l'éclair se brisait en une pluie d'écailles.

Glitta avait pris l'habitude de se montrer quand Louisette portait du grain à ses poules. Et la femme la regardait, sans bouger, comme si cette présence sauvage la rassurait.

« Toi aussi, tu es seule ! »

Mais le bonheur comme la peine n'existent pas chez les animaux. Il y a une satisfaction à vivre, le lumineux éclair de l'orgasme quand le corps est en fièvre, et la douleur, la douleur qui ne cesse de harceler, de mordre les muscles, de ronger les os. Tout se termine dans un néant imprévisible et inconnu, dans ce qui n'est pas. Pourtant, Glitta était immortelle, comme le fleuve, comme le monde qui s'arrêterait avec elle.

C'était un matin gris. La lumière filtrait à travers une épaisse couche de nuages uniformes en un jour laiteux. Elle avait laissé ses petits au fond de son terrier, endormis sur la terre chaude. Ils commençaient à nager, à chasser les poissons, mais ils étaient encore trop maladroits pour se nourrir seuls.

L'énorme chose rouge qui arriva en suivant le chemin des hommes avec un roulement sourd terrifia la loutre qui plongea dans les profondeurs de l'eau sombre. Poussée par la curiosité, elle refit surface entre les joncs. Deux hommes sortirent de la voiture qui luisait au soleil. Ils frappèrent à la porte de la petite maison. La vieille femme leur cria :

« Je vous ai déjà dit que je partirais pas !

– Écoutez, Louisette, le barrage va être mis en eau. Ils vont ouvrir celui de Mornac et l'eau va monter d'un seul coup, elle va tout balayer, il faut partir.

– Partir ? Mais où ? Vous comprenez pas que toute ma vie est dans cette maison ? Tenez, ce chêne, c'est mon Henri qui l'a planté pour la naissance de Georges. Et celui-là, plus petit, pour celle de Jeanne. Partir et laisser mes souvenirs dans la vase ? Vous comprenez pas que je préfère mourir avec eux ? Qu'est-ce que j'irais faire ailleurs où je serais une étrangère ? Je suis bien trop vieille pour ça !

– On vous a fait construire une très belle maison à Saint-Jacques.

– Même si c'était un château, votre maison, je n'en voudrais pas. Vous n'avez aucun sentiment pour pas comprendre que cette maison de Saint-Jacques n'a pas d'ombre, pas d'histoire. C'est des pierres et du bois. Dans celle d'ici, il y a les âmes de ceux qui sont partis et qui l'ont habitée. C'est pas seulement une maison, c'est un morceau de la famille. Elle est vivante, vous le voyez pas qu'elle est vivante ?

– Écoutez, Louisette, si tout le monde faisait comme vous, on n'avancerait pas beaucoup. Les gendarmes vont venir vous chercher de force ! C'est demain qu'ils ouvrent le barrage du haut. Ça va tout balayer, je vous dis !

– Je préfère mourir noyée ici plutôt que partir ! »

Elle claqua la porte ; les deux hommes se mirent à parler à voix basse. Glitta les regarda monter en voiture. Elle aurait voulu voir Louisette sortir tranquillement pour apporter du grain à ses poules, mais la vieille ne se montra pas. C'était pourtant l'heure où le soleil descend sur l'horizon… Glitta rentra à son terrier pour la nuit. Le lendemain matin, très tôt, une autre voiture arriva. Les hommes frappèrent à la porte toujours fermée. Et comme elle ne s'ouvrait pas, ils la défoncèrent à coups d'épaule. Ils sortirent précipitamment en portant Louisette inanimée. L'un d'eux cria :

« Vite ! Il n'est peut-être pas trop tard ! »

La voiture démarra en trombe et disparut derrière un épais nuage de poussière blanche. Tout à coup, un bruit sourd monta de la terre qui tremblait comme une bête fiévreuse. Glitta vit alors surgir un mur de boue qui s'écroulait en un torrent démentiel de terre et de rochers disloqués. Tout disparut, l'arbre devant la maison, la maison, le chemin poussiéreux. La loutre eut beau ramer de toutes ses forces, se débattre, elle fut emportée à son tour par ce flot gigantesque qui semblait tomber du ciel.

Puis la crue se calma. L'eau tourbillonnait sur place, s'enflait, gagnait la vallée tout entière, rampait vers une nouvelle pente qu'elle noyait. Le paysage avait changé. Le fleuve s'était transformé en un immense lac calme et sombre d'où dépassaient, près des berges, les hautes branches de quelques arbres condamnés. Glitta n'eut alors qu'une pensée, retrouver ses petits. Sa tanière avait été emportée, la berge rabotée ; les plaies de la terre saignaient en un pus épais qui s'étalait en volutes de fumée ocre. Toute la nuit, la loutre nagea vers l'aval, fouilla les moindres coins, les anses de cette immensité d'eau morte. Rien. La douleur lui cisaillait le corps. Enfin, épuisée, elle abandonna, sombra dans une léthargie douloureuse. L'image de ses petits perdus se mêlait par moments à celle d'une vieille femme que des hommes emportaient.

Puis la peine céda la place à une espèce de colère meurtrière qui fit étinceler ses minuscules crocs pointus. Le lac sans fin s'ouvrait à elle. La loutre s'en prit à un vieux brochet stupide, au regard cruel. Glitta le força à battre en retraite en lui mordillant les flancs puis, lasse, abandonna la poursuite. L'aube approchait. Le soleil noyait le sommet de la colline ; les étoiles disparaissaient lentement, se dissolvaient dans une lueur épaisse, rayée par endroits de traînées ocre. Glitta marcha un bon moment entre les joncs, sans but précis. Ronet, le blaireau qui revenait de sa tournée nocturne, passa près d'elle en soufflant, la tête basse. Glitta savait qu'il habitait un terrier un peu semblable au sien quelque part sur le flanc de la colline.

Et le temps passa. De plus en plus vite, insaisissable comme l'air, rapide comme l'eau du torrent. Glitta eut la fièvre au corps, cet étrange besoin d'une autre loutre, d'un compagnon, ce désir de toute sa chair, concentré dans son ventre. Elle parcourut le lac, en fit plusieurs fois le tour, mais elle était seule, condamnée. L'hiver vint, Glitta ne redoutait pas le froid : l'eau glacée glissait sur ses poils sans les traverser, sans atteindre la douce tiédeur de la peau…

Un matin, elle entendit aboyer des chiens sur la colline voisine que le lac touchait. Des hommes fouillaient les herbes lourdes de gelée blanche, là où vivait Furtif, le renard, et sa famille. Les hommes

pointaient leurs fusils qui tonnaient. À chaque claquement sec des armes, un animal était arrêté dans
sa course. Il se raidissait, mordait l'air et roulait
dans la pente, les membres raides. Les chasseurs
s'esclaffaient.

Glitta plongea dans les eaux noires et y resta
jusqu'à ce que les hommes s'en aillent, laissant derrière eux une dizaine de renards étendus dans l'herbe
et cette odeur âcre qui empestait l'air. Elle ressentait un curieux malaise, un écœurement intense face
à ces corps étendus que le vent caressait. Elle pensa
très fort à Louisette et comprit que la vieille n'était
pas de la même espèce que ceux qui tiraient avec
leurs fusils.

Elle décida de fuir. Le lac était trop grand, les
poissons trop rares. Elle rêvait d'eaux courantes,
d'un fleuve avec de véritables berges, d'arbres sur-
plombant l'eau. Elle traversa plusieurs vallées sombres. Personne ne l'aperçut. Pas même les chats
sournois qui patrouillaient autour des fermes. Pas
même ces papillons de nuit qui se heurtaient aux
lumières suspendues au-dessus d'un pont. Au détour
d'un bras mort, une tribu de ragondins la menaça ;
un troupeau de canards criards s'enfuit à son approche, des grenouilles posées sur des feuilles de nénu-
phars tournèrent vers elle leur tête plate aux yeux
d'or.

Glitta arriva à un grand mur gris qui barrait le fleuve. L'eau coulait à peine entre les rochers de l'ancien lit où poussaient des arbres. Une bâtisse jouxtait le barrage ; une multitude de fils en partaient. Glitta comprit confusément que la crue qui avait emporté ses petits venait de là. Elle contourna le mur, traversa un autre lac aux eaux profondes et sombres. Plus loin, elle trouva le fleuve qu'elle aimait. Des troupeaux de chevesnes y patrouillaient, des vandoises scintillaient comme des lames de couteau. Une vieille truite paresseuse guettait les vairons qui se chamaillaient dans un calme. L'endroit lui plut. Glitta décida de s'y fixer. Elle creusa un terrier avec une ouverture à l'air libre dissimulée sous les racines, et un autre au fond des eaux sombres, puis s'aménagea un nid douillet dans la terre meuble. Tout était parfait, mais il n'y avait pas de petite maison et cette vieille femme dont le souvenir était resté si net dans la mémoire de la loutre.

L'été vint, puis céda la place à l'automne, au défilé des feuilles mortes, aux premières gelées et à la neige. Glitta n'y prêta pas attention : c'était l'ordre normal de la nature, écrit au fond des choses et d'elle-même. Les poissons se firent un peu moins nombreux, beaucoup s'étaient envasés et attendaient, morceaux de bois immobiles, le redoux du printemps.

Glitta restait de longues heures au fond de son terrier, somnolant dans la douceur de la terre. Elle évitait de marcher sur la berge : les traces de ses pas s'imprimaient sur la neige et son odeur de loutre imprégnait le sol dur. Elle savait, par instinct, qu'une multitude de dangers la menaçaient dès qu'elle quittait son élément, l'eau. Pourtant, elle ne fut pas inquiétée.

L'hiver était rude, un hiver de montagne. Une nuit, le fleuve se couvrit d'un tapis de mousse blanche. Glitta n'y prêta pas attention, pourtant, en nageant, elle vit des poissons sauter hors de l'eau, comme s'ils fuyaient une cohorte de brochets. D'autres flottaient déjà, immobiles. Glitta fut elle-même prise d'une étrange sensation. Ses muscles se raidissaient, elle tremblait. Les doigts de l'eau s'insinuaient sous sa fourrure, touchaient sa peau, y progressaient. Elle éprouvait ce qui est inconnu à une loutre : elle avait froid. Tremblante, Glitta sortit à l'air libre. Elle avait surtout mal à ses pattes que le gel engourdissait. Entre les poils mouillés de sa fourrure, des cailloux de glace mordaient sa peau.

Le jour blême naissait sur les collines. Une brume bleue entourait la montagne. Sur le fleuve, des milliers de poissons dérivaient, le ventre en l'air, les ouïes rouges ouvertes dans un dernier bâillement d'agonie. Elle fit quelques pas sur la berge. Son gîte n'était pas loin, mais elle n'avait plus envie de marcher. Une douce ivresse s'emparait d'elle. L'envie de se coucher sur la neige la tentait. Elle jugea plus prudent de rejoindre son terrier, voulut avancer, tomba, roula du tertre dans une rigole gelée. Un chien aboyait au village voisin.

« C'est encore à l'usine Bontemps ! Ils ont crevé une cuve de détergent ! Quel gâchis ! »

Les deux hommes regardaient défiler les cadavres de poissons. Cette nouvelle catastrophe les révoltait, mais que pouvaient-ils ?

« Bon, dit le deuxième, il faut prévenir la gendarmerie. »

Ils remplirent plusieurs bouteilles de cette eau empoisonnée, ramassèrent quelques poissons pour le laboratoire et revinrent à la voiture. Le premier passa près du corps de Glitta.

« Dis-donc, viens voir…

– Quoi encore ?

– Je crois que c'est une loutre. Mais je n'en ai vu qu'en photo, alors… »

Ils déposèrent Glitta dans la fourgonnette. Un vétérinaire appelé d'urgence l'examina :

« On a de la chance ! dit-il. Elle n'est pas morte. Elle devait se trouver dans le fleuve au moment de la pollution. Le détergent a dissous la graisse de sa fourrure, qui est devenue perméable, et elle a failli crever de froid !

– Faut la sauver ! dit l'homme qui l'avait ramenée.

– Oui ! fit le vétérinaire. On la mettra dans le parc naturel de Linatta. C'est une femelle sauvage. Dire qu'il y a des imbéciles pour tuer de si jolies bêtes ! »

En parlant, le jeune vétérinaire s'était animé. La vie de Glitta semblait lui tenir à cœur comme s'il se sentait coupable, au nom de l'humanité tout entière, envers cette bête minuscule et inanimée.

« Je vous remercie de l'avoir apportée ! » ajouta-t-il après un silence.

Quelques jours plus tard, Glitta la loutre se retrouva au bord d'une rivière claire, rapide, une rivière comme elle les aimait. Elle n'avait aucun souvenir de ce qui s'était passé, ni pourquoi elle était là, pourtant il lui semblait qu'elle n'était plus le même animal. Quelque chose avait changé. Elle plongea dans l'eau et nagea longtemps, très long-temps. La rivière serpentait au milieu de prairies à l'herbe rase. Il y avait des touffes d'arbres ici et là, des bancs où des hommes venaient s'asseoir. Glitta savait maintenant qu'il ne fallait pas les redouter. Ces hommes n'étaient pas comme ceux qui tiraient sur les renards. Ridés, marchant lentement, la tête courbée vers le sol et s'appuyant d'un bâton, ils étaient bien inoffensifs. Ils venaient tous de la même grande maison, s'asseyaient sur les bancs et restaient là des heures, sans rien dire, à regarder autour d'eux cette nature luxuriante, cette vie dont ils se retiraient de jour en jour.

Un soir, l'attention de Glitta fut attirée par une vieille femme qui marchait seule. Elle ne portait pas de grains pour ses poules dans son tablier, mais la loutre reconnut la pomme de cheveux blancs sur la tête, les petits yeux noirs et cette démarche pressée… Une vague de chaleur progressait dans son corps. Glitta ne savait pas que les hommes appellent cela du bonheur, elle savait seulement que cette sensation lui faisait beaucoup de bien et la rendait très légère. La vieille femme regardait l'eau couleur de soleil couchant. De ses yeux se détachaient des petites étoiles qui roulaient sur ses joues maigres et disparaissaient dans les profondes craquelures de sa peau.

« Mon Dieu, disait-elle, pourquoi ne m'avez-vous pas fait mourir ? Ils m'ont pris ce que j'avais de plus précieux que la vie. »

Glitta sortit de sa cachette et passa lentement dans l'allée. Surprise, Louisette s'arrêta et marqua son étonnement :

« Est-ce possible ? »

La vieille n'ajouta rien. Les larmes roulaient encore de ses yeux, mais elles brillaient d'une autre lumière, dorée, comme le couchant.

« Mon Dieu ! » ajouta-t-elle en joignant ses mains noueuses.

Les jours suivants, Louisette vint au bord du fleuve et Glitta, qui la guettait, se montra de nouveau. Les autres pensionnaires de la maison de retraite laissaient Louisette seule au bord du fleuve parler à ses fantômes. Tous croyaient qu'elle avait un peu perdu la tête et souriaient d'un air entendu quand ils la voyaient joindre les mains et dire :

« Merci, mon Dieu. C'est rien, cette petite bête, mais elle me rappelle là-bas, et mon malheur est moins lourd à porter ! »

Glitta ne savait pas que la tête des hommes est pleine d'un vent capricieux qui change souvent de sens. Il souffle l'amour, la haine, la joie et la peine, autant de sentiments propres à leur espèce, qui en font des lâches ou des héros, souvent les deux à la fois. Cette conscience d'exister, cette faculté unique de pouvoir se juger, ce sens du bien et du mal, du beau et du laid, les réduit à la pire des conditions, la plus enviable aussi, celle de dieux qui ont conservé un corps d'animal, celle des maîtres de la terre.

Table des matières

Table des matières

Dans la même collection

Les textes de la collection Terre de Poche nourrissent la mémoire collective à travers l'histoire d'une famille ou d'un village de nos régions, un récit de voyage, un document historique ou une chronique intime. Grâce à ces destins croisés, ces descriptions animées, ces analyses précises, le lecteur voit resurgir à chaque page ses souvenirs de jeunesse, la reconstitution de la vie de ses aïeux, des paysages contrastés : autant de témoignages précieux en ce début de siècle.

Poches pratiques

P1 - *Saints, anges et démons*
P2 - *Mots d'amour*
P3 - *Citations, proverbes et dictons de chez nous*
P4 - *Trucs et conseils à l'ancienne*
P5 - *Grandes et petites histoires de la gourmandise française*
P6 - *Aux plaisirs du jardin – Jardinez à l'ancienne avec la météo*
P7 - *Confitures et gourmandises – Conserves et boissons à faire soi-même*
P8 - *Vertus et bienfaits des plantes – Tisanes, infusions, décoctions*
P9 - *La Cuisine sauvage au jardin*
P10 - *La Cuisine sauvage des haies et des talus*
P11 - *Le Saisonnier – Guide du jardinage naturel*
P12 - *Secrets de beauté*

*Photocomposé par Nord Compo
à Villeneuve-d'Ascq*

Imprimé sur les presses
de l'imprimerie « La Source d'Or »
63200 Marsat
Imprimeur n° 13198